Les Cloches Perdues d'Abjat, ou l'Ombre d'une Malédiction

Catherine Inco

Les Cloches Perdues d'Abjat, ou l'Ombre d'une Malédiction

« Tous droits de reproduction, d'adaptation et de traduction, intégrale ou partielle réservés pour tous pays. L'auteur ou l'éditeur est seul propriétaire des droits et responsable du contenu de ce livre. Le Code de la propriété intellectuelle interdit les copies ou reproductions destinées à une utilisation collective. Toute représentation ou reproduction intégrale ou partielle faite par quelque procédé que ce soit, sans le consentement de l'auteur ou de ses ayants droit ou ayants cause, est illicite et constitue une contrefaçon, aux termes des articles L.335-2 et suivants du Code de la propriété intellectuelle. »

Table des matières

Épitaphe : ....
8

A propos de l'Auteure ....
9

Préface : Le murmure du passé ....
11

Prologue : Les Origines d'Abjat-sur-Bandiat ....
14

Chapitre 1 : Une prospérité fragile ....
18

Chapitre 2 : Claire, lumière d'Abjat ....
23

Chapitre 3 : Jean, le fils du chirurgien ....
30

Chapitre 4 : François de Vaucocour, l'homme de fer ....
35

Chapitre 5 : Les braises de la révolte ....
40

Chapitre 6 : Le rêve d'un ailleurs ....
45

Chapitre 7 : La colère du seigneur 51

Chapitre 8 : Le village au bord du gouffre 57

Chapitre 9 : Le Traître de l'ombre 62

Chapitre 10 : La lumière contre l'ombre 67

Chapitre 11 : Le sacrifice des héros 72

Chapitre 12 : L'éclat fragile de la sérénité 77

Chapitre 13 : Les racines de Claire .... 82 Chapitre 14 : La vengeance des Vaucocour 87

Chapitre 15 : Le dernier voyage de François de Vaucocour : 92

Chapitre 16 : Devant la cour de Nérac 97

Chapitre 17 : Les Geôles de Nérac 102

Chapitre 18 : Le jugement... 106

Chapitre 19 : Le prix du sacrifice 111

Chapitre 20 : La Pyramide du jugement 115

Chapitre 21 : L'écho du Saut du Chalard 120

Chapitre 22 : Une Voix au-delà des ombres 125

Chapitre 23 : Le Père Matthieu et l'Épreuve de Foi 129

Chapitre 24 : Guillaume, le survivant 133

Chapitre 25 : Le Manuscrit caché 138

Chapitre 26 : L'exil de Claire 143

Chapitre 27 : La malédiction.. 148

Chapitre 28 : Un reflet du temps 152

Chapitre 29 : Les Lettres du pardon 157

Chapitre 30 : Les Chants de la Vallée 162

Chapitre 31 : Le témoin silencieux .... 167 Chapitre 32 : Le Sanctuaire des Âmes perdues 171

Chapitre 33 : L'Écho des Cloches perdues 175

Chapitre 34 : Les Larmes d'un forgeron 180

Chapitre 35 : La fin de la malédiction 185

Chapitre 36 : Le dernier Sermon du père Matthieu 194

Chapitre 37 : Le dernier souffle de Claire 198

Chapitre 38 : Le chant de la cloche promise 203

Épilogue : Le vol de l'oiseau blanc 207

La Complainte des Cloches Perdues 212

Notes de l'auteure 214

Épitaphe :

Ici reposent les voix du passé, les murmures d'un village et l'écho d'une cloche, perdue, mais jamais oubliée.

Sous ces pierres, la mémoire d'un peuple, leurs amours, leurs larmes, leurs luttes, gravées dans le temps comme le Bandiat dans la terre.

Aux âmes qui ont veillé sur cette vallée, et à celles qui continueront d'entendre son appel, que la paix vous accompagne, et que vos cœurs résonnent comme une cloche renaissante.

A propos de l'Auteure

Passionnée par la lecture et les livres depuis mon plus jeune âge, j'ai grandi entourée d'histoires et de récits qui éveillaient mon imagination. Fascinée par les contes et légendes transmises de génération en génération, je me suis toujours sentie attirée par ces récits empreints de mystère, de courage et de sagesse populaire.

Après des études de lettres qui ont enrichi ma compréhension des textes classiques et contemporains, j'ai travaillé pendant plusieurs années dans le monde littéraire, cette immersion dans l'univers des mots a nourri ma passion pour l'écriture et renforcé mon envie de transmettre, à mon tour, des histoires porteuses de sens.

C'est avec « Les Cloches perdues d'Abjat, ou l'ombre d'une malédiction » que je me lance dans l'aventure de mon premier roman. Inspirée par l'histoire et les légendes du Périgord, je mêle avec délicatesse réalité historique et imagination, tissant une fresque émouvante sur la résilience, l'amour, et le poids des mémoires collectives. À travers ce roman, j'invite mes lecteurs à découvrir une époque troublée et à réfléchir sur les forces universelles du pardon et de la réconciliation.

Quand je n'écris pas, j'aime parcourir les petits villages de campagne, écouter les récits des anciens, ou plonger dans les archives pour dénicher des fragments de légendes oubliées, que j'efforce de raviver avec une plume sincère et passionnée.

Préface : Le murmure du passé

Il existe des lieux où l'histoire ne se contente pas de dormir dans les pierres ; elle respire, elle murmure, elle veille. Abjat-sur-Bandiat est l'un de ces lieux. Niché au cœur du Périgord, entre collines verdoyantes et rivières capricieuses, ce village semble à première vue modeste, presque anodin. Mais sous son silence apparent, il abrite une âme complexe, un tissu d'histoires entrelacées où se mêlent le courage, l'amour, et la mémoire.

Les contes des anciens nous parlent d'un village façonné par la terre et l'eau, forgé dans les épreuves et élevé par la foi. Abjat n'est pas seulement un nom sur une carte. C'est une entité vivante, témoin d'une lutte humaine universelle : celle de préserver l'identité et l'honneur face aux forces qui cherchent à les briser.

L'histoire d'Abjat n'est pas celle d'un héros solitaire. C'est celle d'une communauté. Ce roman ne suit pas simplement des personnages : il donne voix aux rivières, aux collines, aux cloches ellesmêmes. Il tisse une toile où chaque vie, chaque pierre, chaque souffle de vent joue un rôle. À travers ces pages, vous entendrez le tintement de cloches disparues, le rugissement de la rivière du Bandiat, et les battements des cœurs de ceux qui ont aimé, perdu, et reconstruit.

Les habitants d'Abjat, bien qu'ancrés dans leur époque, incarnent des luttes intemporelles. Leur combat pour défendre leur village face aux injustices, leur résilience face à la perte, et leur quête incessante de rédemption résonnent bien au-delà des frontières de ce petit coin de France. Leurs voix, bien que nées dans le XVIIe siècle, nous rappellent que la quête d'humanité est universelle et sans fin.

Au centre de ce récit se trouve un objet, une cloche, mais aussi bien plus qu'un objet. Elle est la métaphore de l'âme collective d'Abjat. Sa perte incarne la fracture, le déracinement, la douleur d'un village dépossédé de son cœur. Et pourtant, même disparue, elle continue de vivre dans les légendes, les rêves, et les prières. Elle est un rappel que certains liens, aussi invisibles soient-ils, ne peuvent être brisés.

Mais la cloche est aussi une promesse. Une promesse que l'honneur perdu peut être retrouvé, que la douleur peut être transcendée, que la mémoire peut être le terreau d'une nouvelle prospérité. Ce roman est un voyage vers cette promesse, un chemin sinueux où chaque pas est marqué par l'ombre du passé et la lumière de l'espoir.

À travers « Les Cloches perdues d'Abjat », ce village devient un miroir dans lequel nous pouvons voir nos propres vies, nos propres luttes. Les personnages qui peuplent cette histoire, bien que nés dans une époque lointaine, portent des émotions et des dilemmes qui nous sont familiers. Leur courage, leurs peurs, leurs échecs et leurs triomphes nous invitent à réfléchir sur nos propres choix, sur ce que nous sommes prêts à sacrifier pour protéger ce qui compte le plus.

En lisant ces pages, vous ne découvrirez pas seulement l'histoire d'un village, mais aussi celle de l'âme humaine elle-même. Une âme capable de se relever, de se transformer, et de continuer à chanter, même lorsque les cloches semblent silencieuses.

Que vous soyez ici pour découvrir une légende, pour vous plonger dans une fresque historique, ou simplement pour entendre le murmure du Bandiat, ce livre vous invite à un voyage singulier. Il vous appelle à écouter, non seulement les voix des personnages, mais aussi les échos du passé qui résonnent en chacun de nous.

Car, tout comme Abjat, nous portons tous nos propres cloches perdues. Et tout comme ce village, nous portons aussi l'espoir qu'un jour, elles sonneront à nouveau, claires et puissantes, rappelant que rien, pas même le silence, ne peut éteindre la lumière de la mémoire et du pardon.

Bienvenue à Abjat-sur-Bandiat. Que son histoire trouve un écho en vous.

Prologue : Les Origines d'Abjat-surBandiat

Il était une fois, au cœur du Périgord, une vallée fertile bordée par une rivière capricieuse appelée le Bandiat. Ce cours d'eau, à la fois paisible et tumultueux, serpentait à travers les collines boisées et les plaines dorées, nourrissant la terre et ses habitants. C'est sur ces rives généreuses que naquit, il y a des siècles, un petit village nommé Abjat.

Abjat, dans ses premiers jours, n'était qu'un regroupement modeste de cabanes de bois et de torchis, éparpillées autour d'un gué où le Bandiat était le plus accessible. Ses habitants, des hommes et des femmes simples, vivaient en symbiose avec la nature. Ils chassaient dans les forêts, pêchaient dans les eaux claires, et cultivaient la terre riche en sédiments déposés par la rivière. Mais plus qu'un simple lieu de vie, Abjat était aussi un carrefour. Les premiers chemins qui traversaient cette vallée en firent un point de rencontre pour les voyageurs, les marchands, et même les pèlerins.

La naissance d'Abjat est indissociable du Bandiat. Les anciens racontent que cette rivière était bien plus qu'un cours d'eau : elle était une entité vivante, une déesse bienveillante, mais capricieuse. Selon les légendes transmises au fil des générations, le Bandiat était habité par un esprit protecteur qui veillait sur la vallée, récompensant les habitants qui respectaient ses eaux et punissant ceux qui les souillaient.

Les premiers habitants construisirent leurs maisons proches de ses berges, car le Bandiat était leur source de vie. Ses eaux limpides abreuvaient leurs troupeaux, irriguaient leurs cultures, et offraient un abri pour les poissons. Les enfants du village jouaient dans ses courants légers, tandis que les anciens venaient y prier, remerciant l'esprit de la rivière pour ses dons.

Mais le Bandiat était aussi une force imprévisible. Lors des pluies torrentielles, il se transformait en une bête rugissante, inondant les champs et emportant les récoltes. Ces colères de la rivière étaient interprétées comme des avertissements. Les habitants devaient alors se rassembler et offrir des prières ou des offrandes au bord de l'eau, espérant apaiser l'esprit qui régnait sur leur destinée.

Avec le temps, le village d'Abjat grandit en importance. Sa position stratégique, au croisement de plusieurs routes commerciales rudimentaires, en fit un lieu d'échange. Les marchands de sel venant de l'ouest et les négociants de laine descendant des collines s'arrêtaient à Abjat pour traverser le Bandiat. Au fil des ans, un pont rudimentaire en bois fut construit, reliant les deux rives et facilitant le passage.

Ce pont devint rapidement le cœur du village. Autour de lui, des échoppes s'ouvrirent : des forgerons, des boulangers, et des marchands s'établirent pour répondre aux besoins des voyageurs. Chaque mardi, un marché s'organisait près du pont, attirant des vendeurs et des acheteurs venus de loin. On y échangeait du blé, des châtaignes, du vin, et des étoffes. Les foires annuelles d'Abjat devinrent célèbres dans toute la région, et le petit village prospéra grâce à ce commerce florissant.

Avec la prospérité vint la foi. Vers le XIIe siècle, les habitants d'Abjat décidèrent de construire une église au sommet d'une colline surplombant le village. Cette décision était autant spirituelle que pratique : une église était le signe d'un village établi, un point de rassemblement pour la communauté, et une déclaration de leur loyauté à Dieu et à l'ordre féodal.

L'église, bien que modeste, devint rapidement le symbole d'Abjat. Ses cloches, forgées dans un alliage précieux de bronze et de cuivre, furent bénies avec des prières ferventes. Chaque fois qu'elles sonnaient, elles résonnaient dans toute la vallée, appelant les fidèles à la prière, avertissant des dangers, ou célébrant les mariages et les naissances.

Selon les légendes locales, ces cloches étaient plus qu'un instrument sacré : elles portaient en elles une voix divine. On racontait qu'elles avaient été fondues avec des fragments de pierres sacrées trouvées dans la rivière elle-même, et que leur son portait la bénédiction du Bandiat. Les habitants y voyaient un lien direct avec leur terre et leur histoire.

Mais la prospérité d'Abjat attira aussi les convoitises. Au fil des siècles, le village fut la cible de pillards, de seigneurs avides, et même des tourments des guerres. Les invasions dévastèrent parfois ses récoltes et forcèrent ses habitants à se réfugier dans les forêts environnantes. Pourtant, à chaque fois, Abjat se releva.

L'une des histoires les plus marquantes de cette époque est celle d'une crue dévastatrice du Bandiat. La rivière, en colère après des mois de pluies incessantes, déborda de ses rives, emportant maisons et ponts dans son sillage. Les habitants, désemparés, crurent que leur village ne s'en remettrait jamais. Mais en reconstruisant leurs maisons et en érigeant un nouveau pont, ils découvrirent que la terre, enrichie par les alluvions de la crue, était devenue plus fertile que jamais. Ce fut pour eux un rappel que la vie, même dans ses pires moments, pouvait offrir une nouvelle chance.

À mesure que les siècles passèrent, Abjat se transforma, mais ses racines restèrent profondément ancrées dans le Bandiat et les collines qui l'entouraient. La rivière, toujours capricieuse, continuait de nourrir et de protéger le village, tandis que les cloches de l'église rythmaient la vie quotidienne.

Les légendes qui entouraient le village, qu'il s'agisse de l'esprit du Bandiat ou de la voix des cloches, donnaient à ses habitants un sentiment de fierté et d'appartenance. Abjat n'était pas simplement un lieu : c'était une entité vivante, un lien entre le passé et l'avenir, entre la terre et le ciel.

C'est dans ce cadre, dans ce village né de la rivière et forgé par la foi, que l'histoire des Cloches perdues commença. Une histoire de tragédies, de résilience, et d'espoir, profondément enracinée dans les origines mêmes d'Abjat-sur-Bandiat.

Chapitre 1 : Une prospérité fragile

Au printemps de l'année 1640, Abjat s'éveillait sous un ciel clément, baigné d'une lumière dorée qui caressait doucement les toits de tuiles rouges et les collines boisées environnantes. Les bourgeons éclosaient timidement sur les arbres, et les premières fleurs des champs offraient leur parfum discret aux brises du matin. Ce petit village du Périgord, niché au creux des vallées sillonnées par la rivière du Bandiat, semblait à première vue un havre de tranquillité. Ses maisons de pierres, resserrées autour d'une place centrale animée, donnaient l'impression d'un tableau figé dans le temps, un lieu épargné par les tumultes du monde extérieur.

Mais cette apparente sérénité dissimulait des tensions profondes, des fissures invisibles qui fragilisaient ce bastion de vie rurale. Car au-delà des collines et des forêts, dans un royaume fracturé par la guerre et les ambitions des puissants, le tumulte de l'histoire pesait lourdement sur les épaules des paysans. Les habitants d'Abjat, bien que géographiquement éloignés des grands champs de bataille, n'étaient pas épargnés par les conséquences de la guerre de Trente Ans, ce conflit dévastateur qui embrasait l'Europe depuis deux décennies.

Les hivers avaient été particulièrement rudes, et les étés, capricieux, apportaient davantage de sécheresse ou de grêle que de chaleur bienfaisante. Depuis une décennie, la nature elle-même semblait conspirer contre les récoltes. Même les pommiers, ces arbres robustes et fidèles qui promettaient toujours des fruits en abondance, donnaient désormais des récoltes maigres. Les pruniers et les châtaigniers, si chers aux paysans, avaient vu leurs branches dépouillées par des gelées précoces ou des pluies incessantes. Les greniers se vidaient plus vite qu'ils ne se remplissaient, et les visages des villageois portaient les marques de ces années de privations.

À ces épreuves s'ajoutaient les poids invisibles de la guerre : des impôts accrus, des réquisitions, et le spectre constant du recrutement. Le cardinal Richelieu, conseiller implacable de Louis XIII, avait ordonné un effort de guerre massif, vidant les coffres royaux et se tournant vers les campagnes pour combler le manque. Les habitants, déjà épuisés par le labeur, se voyaient taxés au-delà de leurs maigres moyens. Le mot « mulet », que Richelieu utilisait pour désigner les paysans, résonnait comme une insulte doublée d'un avertissement : ils étaient considérés comme des bêtes de somme, taillables et corvéables à merci.

Pourtant, malgré ces épreuves, Abjat conservait une certaine prospérité, entretenue par sa position stratégique. Traversé par des routes marchandes et situé à proximité de la rivière du Bandiat, le village était un lieu d'échange et de commerce. Chaque mardi, la place principale s'emplissait de l'agitation d'un marché florissant. Les marchands y proposaient des trésors venus d'ailleurs : des noix et des châtaignes locales côtoyaient des étoffes délicates, des bijoux en argent de Tolède, et des lames finement forgées. On y troquait grains contre couteaux, pommes contre informations, et parfois, dans un coin plus discret, des marchandises évitant les taxes royales grâce à l'audace de contrebandiers.

Au centre de cette vie bourdonnante se trouvait la halle, un édifice imposant en bois et en pierre qui abritait les étals des marchands.

L'église Saint-Jean, vieille de plusieurs siècles, dominait également la place de sa silhouette majestueuse. Ses cloches, forgées avec soin et bénies par des générations de prêtres, rythmaient la vie du village. Leur son résonnait au-delà des collines, rappelant à tous que, malgré les tumultes du royaume, Abjat restait une enclave de stabilité.

Mais derrière cette façade paisible, le ressentiment grandissait. Chaque son de cloche rappelait aux habitants les lourds tributs qu'ils devaient payer pour maintenir leur vie, leurs terres, et leur liberté relative. Le poids des impôts, des réquisitions, et des menaces constantes de conscription transformait les veillées en lieux de murmures. Autour des cheminées, dans les cuisines où l'on partageait de maigres repas, les discussions prenaient un ton plus sombre.

— « Jusqu'à quand devrons-nous courber l'échine ? » murmurait un ancien à voix basse, ses mains noueuses serrées autour d'un bâton. « Ce Richelieu ne sait pas ce que c'est que de travailler la terre. Pour lui, nous ne sommes rien. »

Les jeunes hommes, quant à eux, vivaient dans la peur de voir un jour arriver des recruteurs, ces hommes en armes qui traversaient les campagnes pour remplir les rangs des armées royales. Partir à la guerre, c'était souvent ne jamais revenir, laissant derrière soi des familles brisées et des champs en friche.

Dans cette atmosphère lourde, une figure se distinguait par sa lumière : Claire. À vingt ans, elle était la fille la plus célèbre du village, non seulement pour sa beauté, mais aussi pour son esprit vif et sa générosité. On disait que sa peau claire et son sourire radieux faisaient oublier les hivers les plus longs. Mais Claire n'était pas qu'un symbole de grâce. Elle était aussi une jeune femme profondément aimée pour sa gentillesse et sa capacité à rassembler les habitants.

Promise à Jean Laverne, fils du chirurgien du village, Claire incarnait l'avenir idéal d'Abjat. Elle et Jean formaient un couple que tous regardaient avec admiration et espoir. Leur mariage à venir représentait bien plus qu'une union entre deux familles : il était un rappel de ce que la vie à Abjat avait de beau et de précieux, malgré les épreuves.

Mais le destin, toujours capricieux, avait d'autres plans pour Claire et pour Abjat.

Ce matin-là, alors que les cloches sonnaient pour marquer le début du marché, un murmure traversa la place. Quelques hommes, regroupés dans un coin près des étals de céréales, parlaient à voix basse. Les mots « Vaucocour », « soldats », et « réquisitions » se glissaient dans la conversation, semant une tension palpable.

François de Vaucocour, un capitaine des chevau-légers, avait la réputation de ne laisser aucun village intact sur son passage. Ce noble arrogant, habitué à imposer sa volonté par la force, ne respectait ni les frontières ni les coutumes. Là où il passait, les villages perdaient leurs récoltes, leurs biens, et parfois même leurs hommes. Son arrivée était une mauvaise nouvelle pour Abjat, et ceux qui avaient entendu parler de lui sentaient une ombre grandir sur leur avenir.

Lorsque les premiers cavaliers de sa troupe apparurent sur la colline surplombant le village, un silence inquiet s'installa. Les cris des marchands se firent plus faibles, les charrettes cessèrent de grincer, et les regards se tournèrent vers le sentier poussiéreux. Abjat, ce matinlà, comprit qu'il était entré dans une nouvelle ère.

Alors que les sabots des chevaux frappaient les pavés, chaque battement résonnant comme une menace, les habitants retenaient leur souffle. L'avenir d'Abjat, jusque-là nourri par l'espoir et la résilience, venait de basculer. Le printemps de 1640, avec ses fleurs et ses promesses, allait devenir le prélude d'une histoire où le courage et la tragédie s'entrelaceraient pour façonner le destin d'un village.

Chapitre 2 : Claire, lumière d'Abjat

Dans un monde où la vie était souvent rude et sans éclat, Claire était une exception lumineuse, un rayon de soleil incarné. Dès son enfance, elle semblait briller d'une lueur unique, attirant les regards et les cœurs. Sa beauté, disait-on, surpassait celle de toutes les jeunes femmes des villages environnants. Les hommes s'arrêtaient de parler en la voyant passer, comme si sa simple présence effaçait leurs soucis. Les femmes, elles, chuchotaient entre elles, mi-envieuses, mi-fascinées. Pourtant, personne ne trouvait à redire sur son caractère, car Claire était aimée de tous pour sa gentillesse, son dévouement et sa simplicité.

Claire, de son vrai nom Marie-Claire, était née par une douce nuit d'automne dans une petite maison en pierre située à la sortie d'Abjat. Ses parents, Pierre et Hélène, l'avaient accueillie comme un cadeau précieux après plusieurs années d'attente. Pierre, un ancien tisserand reconverti en marchand de grains, était un homme calme et réfléchi, connu pour sa probité. Hélène, quant à elle, tenait un petit étal de pain et de pâtisseries sur le marché du village. Leur amour pour leur fille unique était palpable dans chaque geste et chaque mot.

Dès son plus jeune âge, Claire était attirée par la nature qui entourait Abjat. Elle passait des heures à courir dans les champs, à ramasser des fleurs sauvages et à tremper ses pieds dans le Bandiat. Son père, qui adorait la voir sourire, l'emmenait souvent à la foire du village voisin. Il lui offrait de petits cadeaux : un ruban coloré pour attacher ses cheveux ou une poupée de bois sculptée. Ces moments, empreints de simplicité et d'affection, marquèrent profondément son enfance.

Hélène, de son côté, lui enseigna les valeurs de travail et de générosité. Dès l'âge de six ans, Claire aidait sa mère à pétrir la pâte à pain dans la cuisine enfumée, ses petites mains couvertes de farine. À chaque marché, elle accompagnait Hélène, fière de disposer les miches dorées sur l'étal. Les villageois, séduits par son sourire éclatant, venaient souvent acheter plus qu'ils ne le prévoyaient, simplement pour échanger quelques mots avec elle.

Son surnom, « Claire », lui fut donné très tôt. Elle était si pâle à la naissance que les sages-femmes s'émerveillèrent devant sa peau diaphane. « On dirait une goutte de lumière », avait murmuré l'une d'elles. Mais ce qui fit grandir la légende de son surnom fut une rumeur singulière : lorsqu'elle buvait du vin, disait-on, on pouvait en voir la couleur descendre dans sa gorge à travers sa peau translucide. Bien que cette exagération prête à sourire, elle ajoutait une aura presque surnaturelle à la jeune femme.

Claire grandit avec cette attention constante, mais au lieu de la rendre vaniteuse, cela renforça sa modestie. Elle comprit très tôt que sa beauté pouvait être un don ou un fardeau, et elle choisit de ne jamais en abuser.

Les jours heureux de son enfance commencèrent à s'estomper lorsque la situation économique des campagnes se dégrada. Les années de mauvaises récoltes, les hivers glacials, et les taxes de plus en plus lourdes firent plier de nombreux foyers. Pierre, qui avait toujours géré son commerce avec soin, se retrouva contraint de vendre une partie de ses terres pour payer les impôts. Claire, à l'écoute des inquiétudes de ses parents, comprit que l'époque de l'insouciance était révolue.

Pourtant, elle ne laissait jamais paraître ses inquiétudes. Chaque mardi, elle continuait de marcher sur la grand-route bordée de châtaigniers pour rejoindre le marché. Cette route lui rappelait les jours où son père l'accompagnait, mais maintenant, elle marchait seule, sentant le poids des responsabilités peser sur ses épaules. Elle savait que sa mère comptait sur elle, non seulement pour aider à l'étal, mais aussi pour apporter une présence lumineuse capable d'attirer les acheteurs.

Malgré les épreuves, Claire trouvait du réconfort auprès de Jean Laverne, son promis. Jean était tout ce qu'elle admirait : courageux, généreux et profondément juste. Fils unique du chirurgien du village, il passait ses journées à soigner les blessés et les malades aux côtés de son père. Ses mains, habiles et délicates, avaient souvent effleuré celles de Claire lorsqu'il pansait une petite blessure ou lui tendait une écharpe oubliée.

Leur promesse mutuelle avait été scellée un soir d'été, au bord du Bandiat. La lune illuminait l'eau calme, créant une atmosphère presque irréelle. Ce soir-là, Jean, d'un ton hésitant, mais sincère, lui avait demandé de partager sa vie.

__ « Je n'ai pas grand-chose à t'offrir, Claire, » avait-il dit. Mais elle n'avait pas besoin de richesses. Elle voulait seulement lui. Depuis ce moment, leur amour était devenu une source de force pour tous deux, une lumière dans l'obscurité grandissante.

Ce mardi de marché, Claire était particulièrement préoccupée. Jean devait partir le lendemain pour Limoges, où il accompagnerait un convoi de grains. Bien qu'elle sache que ce voyage était une opportunité rare, l'idée de son absence l'angoissait. Alors qu'elle disposait les dernières brioches sur l'étal, elle sentit la main douce de sa mère sur son épaule.

— « Tu es pensive aujourd'hui, ma fille, » dit Hélène d'une voix douce.

— « Jean part demain, » murmura Claire. « J'ai peur pour lui. »

— « Il reviendra, comme il l'a toujours promis. » répondit sa mère.

Malgré ces mots réconfortants, une inquiétude sourde restait ancrée dans son cœur. La place du marché, habituellement animée, semblait plus tendue ce jour-là. Les visages des villageois étaient graves, et une rumeur parcourait la foule : des soldats approchaient. Quand la troupe entra dans le village, un silence pesant s'abattit. François de Vaucocour, à la tête de ses chevau-légers, chevauchait avec une assurance calculée. Son regard arrogant balayait la place, et lorsqu'il croisa celui de Claire, il s'arrêta, comme fasciné.

Vaucocour descendit de cheval avec une lenteur calculée, comme s'il savourait chaque instant de l'attention qu'il suscitait. Le cuir de ses bottes ferrées claqua sur les pavés, rompant le silence pesant qui s'était installé sur la place. Son regard, perçant et froid, balaya les visages tendus des villageois, s'attardant sur quelques hommes qui tentaient, maladroitement, de masquer leur hostilité. Mais ce qui attira réellement son attention fut l'étal de pain où se tenait une jeune femme, les mains encore couvertes d'une fine poussière de farine. Claire, figée derrière l'étal, sentit son cœur se serrer. L'homme avançait droit vers elle, ignorant les regards qui le suivaient comme des lames invisibles. Chaque pas semblait alourdir l'air autour de lui, et, lorsque son sourire se dessina sur ses lèvres fines, elle comprit qu'il avait déjà trouvé ce qu'il cherchait.

Arrivé à quelques pas d'elle, Vaucocour s'arrêta, retirant nonchalamment son tricorne noir qu'il porta à sa poitrine dans un geste qui relevait davantage de la moquerie que de la courtoisie.
— « Une perle rare dans un village aussi insignifiant, », déclara-t-il, d'une voix à la fois douce et tranchante. Ses paroles portèrent dans le silence comme une flèche, touchant leur cible avec une précision cruelle.

Claire déglutit, sentant le poids des regards de toute la place sur elle. Elle baissa les yeux un instant, espérant que son silence suffirait à détourner l'attention de l'homme. Mais le capitaine attendait, immobile, son sourire toujours figé. Finalement, elle releva la tête et répondit, la voix plus tendue qu'elle ne l'aurait souhaité. — « Claire, monsieur. »

Le sourire de Vaucocour s'élargit, et il inclina légèrement la tête, comme s'il savourait ce moment.

— « Claire, » répéta-t-il lentement, comme pour goûter à la sonorité du nom. « Un nom qui sied à merveille à une beauté aussi éclatante. »

Son regard glissa sur elle avec une intensité qui fit naître un frisson désagréable le long de sa nuque. Il y avait dans ses yeux quelque chose de possessif, un mélange de fascination et de calcul. Il ne regardait pas une femme, mais une proie.

Les villageois, eux, retenaient leur souffle. Certains échangeaient des regards nerveux, d'autres baissaient la tête, comme pour éviter de se mêler à la scène. Mais Jean, qui avait observé la scène depuis un peu plus loin, sentit une colère sourde monter en lui. Ses poings se serrèrent, et avant même de réaliser ce qu'il faisait, il franchit la distance qui le séparait de Claire, s'interposant entre elle et le capitaine. — « Cette femme est promise, monsieur, » déclara-t-il d'un ton ferme, bien que sa voix trahisse une légère tension.

Vaucocour, pris au dépourvu par cette intervention, haussa un sourcil, intrigué. Il se tourna vers Jean, le détaillant des pieds à la tête avec une expression mêlant amusement et mépris.

— « Promise, dis-tu ? » répéta-t-il, un sourire narquois aux lèvres. « La promesse d'un villageois peut-elle rivaliser avec la volonté d'un seigneur ? »

Jean, les mâchoires serrées, soutint le regard du capitaine sans fléchir. Une tension s'installa entre les deux hommes, comme une corde sur le point de se rompre. Claire, debout derrière Jean, sentit son cœur s'emballer. Elle posa une main sur le bras de son fiancé, un geste à la fois apaisant et protecteur.

— « Vous devriez partir, monsieur, » répondit Jean, la voix vibrante de retenue. « Abjat ne vous accueillera pas si vous apportez des ennuis. »

Un silence tomba sur la place. Les villageois, jusqu'alors immobiles, commencèrent à s'agiter, comme si la bravoure de Jean réveillait quelque chose en eux. Quelques hommes se rapprochèrent discrètement, armés de leurs bâtons de berger ou de simples outils, prêts à intervenir si les choses dégénéraient.

Vaucocour remarqua ce mouvement du coin de l'œil. Son sourire s'effaça légèrement, mais il éclata bientôt d'un rire glacial qui fit frissonner la foule.

— « J'aime les défis, » déclara-t-il en remontant sur son cheval avec une aisance déconcertante. Il jeta un dernier regard vers Claire, puis vers Jean. « Je reviendrai. Et lorsque je reviendrai, j'espère que ce village saura montrer un meilleur visage à son seigneur. »

Il fit claquer les rênes, et son cheval s'élança, suivi de près par ses hommes. Le claquement des sabots s'éloigna peu à peu, mais l'ombre de sa présence resta suspendue au-dessus de la place.

Claire posa enfin une main sur sa poitrine, tentant de calmer les battements frénétiques de son cœur. Jean se tourna vers elle, son visage durci par la colère et l'inquiétude.

— « Que va-t-il se passer ? » murmura-t-elle, presque inaudible.

Jean inspira profondément, posant une main protectrice sur son épaule.

— « Nous ne nous laisserons pas faire, Claire, » répondit-il d'une voix grave. « Pas cette fois. »

Mais au fond d'elle, Claire savait que les choses venaient de changer. Un malheur, à peine perceptible mais certain, planait désormais sur Abjat.

Chapitre 3 : Jean, le fils du chirurgien

Jean Laverne était un homme de son temps, façonné par la dureté de la vie à Abjat et les espoirs discrets qui y subsistaient. À vingtdeux ans, il avait les épaules solides, la mâchoire carrée et le regard franc. Mais derrière sa force apparente se cachait une âme délicate, forgée par une enfance marquée par la discipline et l'amour d'une famille unie. Fils unique d'un chirurgien respecté du village, Jean portait déjà le poids des attentes de ses proches et de la communauté, tout en nourrissant des rêves qu'il gardait pour lui seul.

Jean avait grandi dans une maison située près de la place du marché, une bâtisse modeste, mais bien entretenue, où les odeurs de plantes médicinales flottaient en permanence. Son père, Étienne Laverne, était le chirurgien du village, un homme dont la réputation s'étendait bien au-delà des frontières d'Abjat. Grand et austère, Étienne ne connaissait que deux choses : son métier et l'amour inconditionnel qu'il portait à son fils. Mais cet amour, bien que profond, se manifestait souvent par une exigence implacable.

Dès son plus jeune âge, Jean avait suivi son père dans ses tournées à travers le village et les hameaux voisins. Étienne lui montrait comment soigner des blessures, réduire des fractures et apaiser des douleurs avec des décoctions de plantes. Les premiers souvenirs marquants de Jean étaient empreints de ces moments : la vue de sang sur des draps blancs, l'odeur âcre de l'alcool utilisé pour nettoyer les instruments, et les gémissements des patients qui attendaient d'être soulagés.

— « Un chirurgien doit avoir des mains fermes et un cœur solide, » répétait souvent Étienne à son fils. « Mais il ne doit jamais oublier la compassion. Un bon médecin ne soigne pas seulement le corps, il soigne l'âme. »

Ces paroles résonnèrent profondément en Jean, bien qu'il ne comprît leur véritable portée qu'en grandissant.

Sa mère, Marguerite, plus douce et bienveillante, contrebalançait la rigueur de son père. Elle veillait à ce que Jean ait aussi des moments d'insouciance, des instants où il pouvait être un enfant comme les autres. Elle lui racontait des histoires au coin du feu, préparait ses plats préférés et cousait ses vêtements avec soin.

À l'adolescence, Jean devint un jeune homme apprécié de tous. Il aidait souvent son père dans les soins, apprenant à poser des bandages et à apaiser les patients par sa simple présence. Sa force physique, héritée d'années de travaux dans les champs avec ses amis du village, contrastait avec la douceur de ses gestes lorsqu'il s'agissait de soigner. Il s'était taillé une réputation d'homme fiable et altruiste, quelqu'un sur qui l'on pouvait compter en cas de besoin.

Mais Jean portait aussi en lui une fierté farouche, un sens aigu de la justice. Il ne supportait pas de voir quelqu'un être maltraité ou exploité, et cela l'avait amené à plusieurs reprises à intervenir dans des disputes de marché ou des altercations entre voisins.

— « Si tu veux vivre longtemps, apprends à choisir tes batailles, » lui conseillait son père lorsqu'il apprenait que Jean avait une fois de plus pris parti pour quelqu'un.

— « Je ne peux pas fermer les yeux, » répondait Jean avec détermination. « Ce serait trahir tout ce que tu m'as enseigné. »

Jean avait toujours connu Claire. Abjat était un village où tout le monde se croisait, et il avait grandi en la voyant jouer près du Bandiat ou aider sa mère sur l'étal de pain. Mais ce n'est que lorsqu'ils atteignirent l'adolescence que son regard sur elle changea. Il se souvint précisément du jour où, lors d'une foire, il la vit rire en attrapant un ruban que le vent emportait. Ce rire, si clair et si lumineux, avait éveillé quelque chose en lui qu'il ne comprit pas immédiatement.

Au fil des années, leurs chemins se croisèrent de plus en plus souvent. Jean, qui n'était pas homme à perdre son temps en frivolités, se surprenait à chercher sa silhouette dans la foule du marché ou à ralentir son pas lorsqu'il passait près de l'étal de sa mère. Claire, de son côté, semblait toujours le remarquer, et leurs échanges, bien que brefs et souvent banals, portaient une chaleur particulière.

Un soir d'été, tout changea. Jean, qui s'était aventuré au bord du Bandiat pour réfléchir, trouva Claire assise sur une pierre plate, les pieds nus trempant dans l'eau. Elle avait l'air songeuse, le regard perdu dans le courant de la rivière. — « Claire ? » avait-il appelé doucement.

Elle s'était retournée, un sourire timide éclairant son visage. Ils parlèrent longuement ce soir-là, partageant leurs craintes et leurs espoirs. Jean lui confia ses doutes sur son avenir, sur les attentes de son père, et sur la guerre qui pesait sur les villages. Claire, à son tour, parla de la pression qu'elle ressentait en voyant les difficultés de sa famille et des inquiétudes qu'elle nourrissait pour Abjat.

Ce fut ce soir-là que Jean comprit qu'il ne voulait pas seulement être un spectateur dans la vie de Claire. Il voulait en faire partie.

Quelques semaines plus tard, un autre soir d'été, Jean trouva le courage de faire sa promesse. L'air était tiède, et la lune éclairait doucement le Bandiat. Ils étaient retournés à leur pierre habituelle, là

où ils aimaient parler loin des regards. Ce soir-là, Jean était étrangement silencieux, et Claire le remarqua.
— « Jean, tu sembles préoccupé, » dit-elle doucement.

Il hésita un instant, cherchant les mots justes. Puis, prenant une profonde inspiration, il se tourna vers elle et saisit doucement sa main.
— « Je n'ai pas grand-chose à t'offrir, Claire, » murmura-t-il, la voix vibrante d'émotion. « Je ne suis qu'un fils de chirurgien, avec un avenir incertain. Mais je sais une chose : je veux partager ma vie avec toi. Si tu acceptes, je te promets de toujours veiller sur toi, quoi qu'il arrive. »

Claire resta un moment silencieuse, ses yeux brillants fixant ceux de Jean. Puis, un sourire éclatant illumina son visage, et elle hocha doucement la tête.
— « Je n'ai pas besoin de richesses, Jean. Juste de toi. »

Ce fut là, dans la douceur de cette nuit d'été, que leur promesse fut scellée. Le lien qui les unissait devint un phare pour eux, une lumière dans les moments d'obscurité. Pour Jean, cette promesse n'était pas seulement un engagement envers Claire, mais aussi envers luimême : celui de devenir un homme digne de cet amour.

Depuis ce jour, Jean et Claire devinrent inséparables. Leur union, bien qu'informelle, était connue et respectée de tous à Abjat. Mais le monde autour d'eux ne cessait de changer. Les récoltes devenaient de plus en plus maigres, les impôts accablaient les familles, et la guerre faisait planer une ombre constante sur le village.

Jean savait que leur avenir était incertain, mais il n'en montrait rien. Chaque jour, il travaillait avec son père, perfectionnant son art, et, chaque soir, il retrouvait Claire pour lui parler de leurs rêves : une maison près du Bandiat, des enfants qui joueraient dans les champs, et un village où ils pourraient vivre en paix.

Cependant, dans le cœur de Jean, une inquiétude grandissait. Il voyait les tensions s'accumuler dans le village, les regards de plus en plus lourds et les murmures de rébellion s'intensifier. Et lorsque François de Vaucocour entra pour la première fois à Abjat, il comprit que leur promesse allait être mise à l'épreuve de manière qu'il n'aurait jamais imaginée.

Chapitre 4 : François de Vaucocour, l'homme de fer

François de Vaucocour n'était pas un homme que l'on oubliait facilement. Né en 1605 dans une noble famille du Périgord, il avait grandi entre les murs austères d'un château dominant les collines de Thiviers. Ce lieu, où la pierre froide semblait toujours suinter d'humidité, avait marqué son caractère. L'ambition y était une vertu et la pitié, un défaut.

Son père, Henri de Vaucocour, était un seigneur respecté, mais craint, connu pour sa main de fer et son mépris des faibles. C'est dans cet environnement rigide que François avait appris à voir le monde : une succession de dominants et de dominés, où seuls les plus forts méritaient de prospérer. Enfant, il avait grandi avec un sens aigu de son propre privilège et une absence totale de compassion pour ceux qu'il considérait comme inférieurs.

Dès son plus jeune âge, François montrait un tempérament fougueux. Adolescent, il maîtrisait déjà l'épée et l'équitation mieux que la plupart des hommes de son domaine. Son père, voyant en lui un héritier digne de son nom, l'avait envoyé à Paris pour parfaire son éducation. Là-bas, François avait appris les arts de la guerre et de la politique, côtoyant les grands noms de la noblesse française. Mais il avait aussi développé un goût prononcé pour le luxe, les intrigues, et les plaisirs qu'offrait la capitale.

Ce fut également à Paris qu'il fit la rencontre de Richelieu. Bien que le cardinal eût une réputation d'homme austère, François avait su capter son attention par sa loyauté inébranlable envers le roi et sa capacité à imposer l'ordre dans des situations chaotiques. Richelieu voyait en François un homme capable de faire respecter la volonté royale dans les régions les plus turbulentes, et il l'intégra rapidement à son cercle de capitaines. Cette nomination, bien qu'honorable, n'était pas sans danger. Elle signifiait que François devait souvent se rendre dans les campagnes pour gérer les rébellions, collecter les impôts et réprimer les dissidents.

François de Vaucocour était avant tout un soldat. Il avait fait ses premières armes dans les campagnes contre les huguenots, ces protestants rebelles qui refusaient de plier devant l'autorité catholique. Ces batailles avaient forgé en lui une réputation de stratège sans merci. On racontait qu'il n'hésitait pas à brûler les villages qui refusaient de payer les impôts ou à faire pendre les meneurs de révolte en place publique pour l'exemple.

En 1635, lorsque la France entra officiellement dans la guerre de Trente Ans, François y vit une opportunité de prouver sa valeur. Commandant une petite troupe de chevau-légers, il participa à plusieurs batailles en Alsace et en Lorraine. Les récits de ses exploits se répandirent, mais ils étaient souvent teintés d'effroi. Il n'avait pas seulement le goût de la victoire ; il avait aussi celui de la domination. François ne se contentait pas de vaincre ses ennemis, il s'assurait de briser leur esprit, de laisser derrière lui des terres ravagées pour qu'aucune rébellion ne puisse renaître.

Ce tempérament impitoyable n'était pas sans conséquences. Ses propres hommes, bien que loyaux, murmuraient parfois qu'il était trop cruel, trop prompt à la vengeance. Mais François méprisait ces critiques. À ses yeux, la faiblesse n'avait pas sa place sur le champ de bataille ni dans la gestion des affaires du royaume.

Malgré sa réputation et ses succès militaires, François de Vaucocour n'était pas un homme comblé. Ses ambitions dépassaient de loin les modestes terres que son père lui avait laissées. Le domaine familial, bien que respectable, avait souffert des guerres et des lourds prélèvements royaux. François voyait en chaque mission une occasion d'accroître sa richesse et son influence. Il était convaincu que le pouvoir ne venait pas seulement du sang, mais aussi de la terre et de l'argent.

Cependant, son tempérament autoritaire et son mépris des règles sociales lui avaient valu de nombreux ennemis. Les nobles voisins, bien qu'alliés dans les apparences, regardaient d'un œil jaloux ses ascensions rapides. Certains, dans les salons parisiens, le qualifiaient de brute habillée en gentilhomme. Ce n'était pas tout à fait faux. François se souciait peu des raffinements et des courtoisies qui faisaient la grandeur de la cour. Pour lui, les alliances se forgeaient dans le sang et la peur, pas dans les bals et les mariages arrangés.

À la mort de son père en 1638, François hérita officiellement du domaine familial de Thiviers. Mais les dettes accumulées et les mauvaises récoltes des années précédentes pesaient lourdement sur ses finances. Richelieu, voyant là une occasion d'exploiter son zèle, lui assigna une nouvelle mission : maintenir l'ordre dans les villages du Périgord et collecter les impôts impayés. François accepta, mais pas sans une certaine rancune. À ses yeux, c'était une tâche bien en deçà de ses capacités. Pourtant, il espérait que cela lui ouvrirait les portes-à des charges plus prestigieuses.

Lorsque François arriva dans les environs d'Abjat au printemps 1640, il était déjà connu des paysans pour ses réquisitions brutales. À leur approche, les villages fermaient souvent leurs portes, et les habitants cachaient leur grain et leur bétail. Mais Abjat, avec son marché prospère et ses foires régulières, était une cible trop tentante pour qu'il passe son chemin.

Ce qui l'amena à s'intéresser au village ne fut cependant pas uniquement sa richesse. Lorsqu'il entra sur la place pour la première fois et vit Claire, tout changea. Pour la première fois depuis des années, il sentit une émotion qu'il ne comprit pas immédiatement. Ce n'était pas seulement le désir de posséder, mais une fascination presque mystique. La beauté de Claire, son éclat naturel, semblait défier le chaos du monde dans lequel il vivait. François, habitué à obtenir tout ce qu'il voulait, décida qu'elle lui appartiendrait, peu importaient les moyens nécessaires.

Pour lui, ce n'était pas un simple caprice. Claire représentait une sorte de victoire symbolique sur cette terre qui lui résistait encore. Elle était la lumière d'un village qui ne voulait pas se plier, et, en la conquérant, il imposerait une fois de plus sa domination.

Mais François de Vaucocour n'était pas un homme sans failles. Derrière sa carapace d'arrogance se cachaient des insécurités profondes. Le poids des attentes familiales, les critiques constantes de ses pairs, et les sacrifices qu'il avait dû faire pour atteindre sa position avaient creusé en lui un vide qu'il ne parvenait jamais à combler. Il espérait que la gloire et le pouvoir suffiraient, mais plus il avançait, plus il se rendait compte que ces ambitions ne faisaient qu'attiser son insatisfaction.

Il se souvenait des jours où, enfant, il jouait avec son frère dans les forêts autour de Thiviers, imaginant des mondes où il serait à la fois roi et héros. Ces rêves d'innocence s'étaient transformés en une quête brutale de pouvoir, et à mesure qu'il vieillissait, il se demandait si tout cela en valait la peine. Mais François n'était pas un homme qui s'autorisait à douter. Ces pensées, il les enfouissait profondément, ne laissant paraître que l'image d'un capitaine sûr de lui et impitoyable. En quittant Abjat ce jour-là, après avoir rencontré Claire pour la première fois, François savait qu'il reviendrait. Il voyait déjà dans son esprit les moyens de la faire sienne, et il se moquait bien des résistances que le village pourrait opposer. À ses yeux, les paysans n'étaient que des obstacles insignifiants, incapables de s'opposer à la puissance royale qu'il représentait.

Mais ce qu'il ne savait pas encore, c'est que cette décision allait sceller son destin. Pour la première fois, François de Vaucocour allait rencontrer une opposition qu'il ne pourrait pas écraser. Et cette rencontre, marquée par le sang et la tragédie, allait le transformer à jamais, laissant derrière lui une légende dont on parlerait encore des siècles plus tard.

Chapitre 5 : Les braises de la révolte

Le printemps de 1640 ne portait pas seulement les promesses des récoltes, mais aussi les signes d'un mécontentement qui grondait sous la surface. À Abjat, comme dans de nombreux villages de France, les tensions sociales s'épaississaient à chaque levée d'impôt, à chaque annonce des nouvelles exigences du roi, et à chaque passage de troupes qui vidait les greniers déjà faméliques. La patience des habitants, que les nobles et les représentants du roi méprisaient ouvertement, était à bout.

Abjat avait toujours été un village prospère. Ses marchés, organisés chaque mardi, attiraient des marchands de loin, et ses foires annuelles faisaient venir des négociants de l'Espagne voisine. Les étals regorgeaient de noix, de châtaignes, de froment et de pommes, que les fermiers échangeaient contre des étoffes ou des bijoux venus d'audelà des montagnes. Cependant, cette relative richesse avait un prix. La couronne voyait en Abjat une source inépuisable de revenus, et les collecteurs d'impôts ne cessaient de passer, réclamant toujours plus.

Depuis une décennie, les campagnes françaises subissaient de plein fouet les conséquences des guerres incessantes menées par Louis XIII et son Premier ministre, le cardinal Richelieu. Ces conflits, bien qu'éloignés, vidaient les coffres royaux. Pour financer l'effort de guerre, Richelieu imposait des taxes de plus en plus élevées aux paysans, qu'il appelait avec mépris les « mulets » du royaume. À Abjat, ces impôts écrasants provoquaient des privations. Les familles sacrifiaient leur bétail, leurs réserves de grains, et parfois même leurs terres pour honorer les demandes royales.

En parallèle, les mauvaises récoltes des années précédentes avaient transformé une vie déjà difficile en un véritable combat pour la survie. Entre 1630 et 1633, des intempéries dévastatrices avaient ruiné les champs. Les pommes et les châtaignes, autrefois abondantes, se faisaient rares, et les villageois dépendaient de leurs réserves pour traverser les longs hivers. Mais en 1640, ces réserves étaient presque épuisées. Chaque famille, même les plus aisées, vivait dans la peur constante de manquer de pain.

L'arrivée des chevau-légers de Vaucocour aggrava encore ces tensions. Les troupes royales, bien que censées protéger le royaume, étaient souvent perçues comme une menace par les habitants des campagnes. Ces soldats n'étaient pas seulement des hommes en quête d'un logement pour une nuit : ils étaient des symboles de l'autorité, et leur présence signifiait souvent réquisitions forcées, vols, ou violences. À Abjat, les villageois avaient appris à se méfier des uniformes royaux, et l'arrivée de Vaucocour fit resurgir leurs craintes les plus profondes.

Les soldats exigeaient du vin, de la nourriture, et des lits pour la nuit, souvent sans offrir de compensation. Dans un village déjà à genoux, ces demandes étaient vécues comme une insulte. Mais que pouvaient faire les habitants, sinon obéir ? La colère bouillait, mais elle restait contenue, comme une marmite dont le couvercle tremblait sous la pression. Pour certains, toutefois, il devenait clair que le moment d'exploser était proche.

La révolte ne se manifestait pas encore dans des actes ouverts, mais elle imprégnait les conversations. Dans les tavernes et autour des foyers, les murmures s'intensifiaient. Les villageois parlaient à voix basse des injustices qu'ils subissaient, échangeaient des histoires de rébellions dans d'autres provinces, et rêvaient, pour certains, de mettre un terme à l'oppression.

— « Nous ne sommes pas des bêtes de somme, » déclara un soir Étienne Masfranc, un fermier au visage tanné par le soleil. « Ces soldats viennent vider nos greniers, et demain, que nous restera-t-il ? Rien. Nous serons comme des chiens à mendier du pain. »

D'autres hochèrent la tête, mais peu osèrent répondre. Les murs des tavernes avaient des oreilles, et la moindre parole déplacée pouvait conduire à des sanctions sévères. Mais Étienne, qui avait perdu son fils unique aux mains des recruteurs royaux deux ans plus tôt, n'avait plus rien à perdre.

— « Si nous ne faisons rien, ils reviendront encore et encore, jusqu'à ce qu'il ne reste plus rien à prendre. »

Ces paroles résonnèrent dans les esprits. Beaucoup pensaient comme lui, mais la peur paralysait leurs actions.

Les tensions sociales étaient amplifiées par le souvenir d'une époque révolue, que les anciens du village évoquaient souvent avec nostalgie. Ils racontaient des histoires d'un temps où les seigneurs étaient proches de leurs gens, où les impôts étaient justes, et où les récoltes étaient généreuses. Mais ces récits semblaient appartenir à un autre monde. Désormais, les seigneurs comme Vaucocour ne cherchaient qu'à exploiter leurs terres et à accumuler des richesses pour leur propre gloire.

À Abjat, les cloches de l'église étaient devenues un symbole de cette époque révolue. Leur sonnerie, qui marquait autrefois les jours de fête et les mariages, était aujourd'hui un rappel de ce qui avait été perdu. Les habitants s'y accrochaient, les voyant comme un lien fragile entre leur passé et leur présent. Lorsque des rumeurs circulèrent sur le fait que Vaucocour avait l'intention de les confisquer pour payer les dettes royales, la colère atteignit un nouveau sommet. — « Ils peuvent prendre notre grain, mais pas nos cloches » murmura une femme lors d'une veillée. « Sans elles, c'est notre âme qu'ils volent. »

Au milieu de cette tension, les femmes du village jouaient un rôle essentiel. Si les hommes parlaient de révolte, ce sont elles qui portaient le poids des privations au quotidien. Elles géraient les ménages avec des ressources de plus en plus limitées, nourrissant leurs enfants avec des portions réduites, cherchant à maintenir un semblant de normalité dans un monde qui semblait s'effondrer.

Claire, malgré son jeune âge, était devenue une figure centrale pour les femmes d'Abjat. Son calme et sa gentillesse inspiraient confiance, et beaucoup venaient lui parler lorsqu'elles se sentaient accablées. Elle écoutait, proposait des solutions, ou simplement réconfortait. Mais même elle, sentait parfois la pression devenir insupportable.

Un jour, alors qu'elle aidait sa mère à cuire du pain, une voisine, la vieille Mathilde, entra dans leur maison en pleurant.

— « Ils ont pris nos trois derniers sacs de farine, » sanglota-t-elle. « Que vais-je donner à mes petits-enfants ? »

Claire posa un bras autour des épaules de la femme, la guidant vers une chaise.

— « Nous partagerons ce que nous avons, Mathilde » dit-elle avec douceur. « Tu ne seras pas seule. »

Mais dans son cœur, Claire savait que les réserves de sa propre famille ne tiendraient pas longtemps si les soldats continuaient à piller le village.

Les tensions atteignirent un point critique lorsque Vaucocour annonça son intention de revenir au village. Les rumeurs disaient qu'il avait l'intention de prendre plus que des provisions cette fois : il voulait Claire. Cette annonce, bien qu'indirecte, fut suffisante pour rallumer les braises de la colère. Les hommes d'Abjat se réunirent en secret pour discuter de ce qu'il fallait faire.

— « Si nous ne faisons rien, il prendra Claire, et il reviendra encore pour d'autres, » déclara Étienne Masfranc avec conviction. « Il est temps de montrer que nous ne sommes pas des lâches. » Jean Laverne, jusque-là silencieux, se leva.

— « Nous devons protéger notre village, » dit-il. « Pas seulement Claire, mais tout ce que nous avons. Si Vaucocour pense qu'il peut nous briser, nous lui montrerons qu'il se trompe. »

La décision fut prise. Les hommes commencèrent à s'armer, utilisant tout ce qu'ils avaient : des faux, des fourches, des bâtons. Les vieilles armes cachées dans les greniers furent sorties et affûtées. Ils établirent un plan pour tendre une embuscade aux troupes de Vaucocour près du pont de la Charelle, là où le Bandiat serpentait entre les collines.

Alors que les préparatifs se poursuivaient, une tension palpable s'installait dans le village. Les rires avaient disparu, remplacés par des regards inquiets.

Chapitre 6 : Le rêve d'un ailleurs

La lumière ambrée d'un crépuscule de printemps enveloppait les collines verdoyantes d'Abjat, et les eaux tranquilles du Bandiat reflétaient les derniers rayons du soleil. Claire et Jean marchaient lentement le long des berges, leurs pas écrasant doucement les feuilles sèches laissées par l'hiver. Ce coin du village était leur refuge, un endroit où le poids des attentes et des obligations semblait s'effacer, ne laissant place qu'à leurs rêves.

Jean marchait devant, tenant une branche qu'il utilisait pour tracer des formes dans la boue, tandis que Claire suivait, une couronne de fleurs des champs tressée dans ses cheveux. Elle observait le mouvement de son promis, les larges épaules qui se redressaient à chaque pas, et la manière dont il scrutait l'horizon comme s'il cherchait un avenir au-delà des collines.

— « Un jour, Claire, » dit-il d'une voix douce, « nous quitterons tout ça. »

Elle sourit faiblement. Ce n'était pas la première fois qu'il parlait ainsi, mais cette idée, bien que séduisante, lui semblait presque irréaliste. Abjat était leur monde entier. Pouvaient-ils vraiment partir ? — « Et où irions-nous ? » demanda-t-elle, jouant avec une fleur qu'elle avait cueillie.

Jean s'arrêta et se tourna vers elle, son visage éclairé par une lueur d'espoir.

— « N'importe où, Claire. Il y a tant de terres au-delà des collines, des villes où les gens vivent sans les chaînes de ces maudits impôts et des soldats. Nous pourrions aller à Limoges, ou même plus loin, jusqu'à Bordeaux. »

Claire leva les yeux vers lui. Il parlait avec tant de passion qu'elle voulait y croire. Elle voulait imaginer un monde où ils n'auraient pas à compter chaque morceau de pain, où ils ne vivraient pas dans la peur de perdre leurs maigres possessions.

— « Et que ferions-nous, là-bas ? » demanda-t-elle, un mélange de curiosité et d'appréhension dans la voix.

Jean esquissa un sourire. — « Je suis fils de chirurgien, et j'ai appris tout ce que mon père sait.
Les gens auront toujours besoin de soins, peu importe où nous allons. Et toi, Claire, tu pourrais vendre du pain, ou des fleurs. Tu as un don pour rendre tout ce que tu touches plus beau. »

Elle rougit légèrement à ces mots, sentant son cœur se serrer d'un mélange de bonheur et de peur.

— « Et si nous échouons ? » murmura-t-elle après un moment. « Si nous ne trouvons pas de travail, ou si nous tombons malades loin de nos familles ? »

Jean posa une main réconfortante sur son épaule, son regard plongé dans le sien.

— « Alors, nous échouerons ensemble, Claire. Mais je préfère échouer avec toi en essayant de vivre libre, plutôt que de rester ici, étouffé par tout ce qui nous écrase. »

Elle baissa les yeux, incapable de soutenir l'intensité de son regard. Elle comprenait son désir de partir, elle le partageait même par moments. Mais la peur de l'inconnu la paralysait.

Abjat était leur foyer, mais aussi leur prison. La vie y était simple, mais dure, et les années récentes avaient rendu cette existence presque insupportable. Les mauvaises récoltes avaient laissé les greniers à moitié vides, et les collecteurs d'impôts revenaient toujours, exigeant leur dû, peu importait la misère des familles.

Pour Jean, chaque jour passé à Abjat ressemblait davantage à une bataille perdue d'avance. Il voyait son père, le chirurgien du village, se plier sous le poids des responsabilités. Soigner les malades et les blessés ne rapportait que peu d'argent, et pourtant, les villageois s'attendaient à ce qu'il travaille sans relâche. Jean, bien que dévoué à cet art, se sentait emprisonné par les attentes de la communauté. Il voulait une vie différente, une vie où il pourrait être plus que le fils du chirurgien, où il pourrait bâtir quelque chose pour lui-même et pour Claire.

Pour Claire, le lien avec Abjat était plus profond. Elle aimait le village, malgré ses imperfections. Elle connaissait chaque maison, chaque sentier, et chaque visage. Elle se sentait redevable envers cette communauté qui l'avait vue grandir. Mais elle ressentait aussi la lourdeur des regards, ceux qui pesaient sur elle parce qu'elle était la plus belle, la plus admirée. Ces attentes tacites, qui lui demandaient d'être parfaite, de devenir l'épouse modèle et la mère de la prochaine génération d'Abjat, étaient des chaînes tout aussi réelles que celles qui enserraient Jean.

Assis sur un rocher près de la rivière, Jean commença à dessiner des plans dans la terre avec un bâton.

— « Regarde, » dit-il, l'enthousiasme illuminant son visage. « Si nous partons à Limoges, nous pourrions ouvrir un petit cabinet médical. Je soignerais les malades, et toi, tu pourrais tenir une échoppe. Nous pourrions vendre des herbes, des remèdes… »

Claire observa les lignes qu'il traçait, essayant de se représenter ce futur. Elle aimait son enthousiasme, cette manière qu'il avait de transformer un rêve lointain en quelque chose de concret.

— « Et si Limoges ne nous convient pas ? » demanda-t-elle.

Jean haussa les épaules, un sourire espiègle aux lèvres.

— « Alors, nous irons ailleurs. Bordeaux. Paris, peut-être. Le monde est grand, Claire. Nous ne sommes pas faits pour rester ici toute notre vie. »

Elle rit doucement.

— « Tu dis ça comme si c'était si simple. Nous ne sommes pas des nobles, Jean. Nous n'avons pas de terres, pas de fortune. »

Il prit sa main dans la sienne, son sourire disparaissant pour laisser place à une expression plus grave.

— « Nous avons quelque chose de plus important, Claire. Nous avons l'amour. Et tant que nous avons ça, je suis prêt à tout risquer. »

Alors qu'ils retournaient au village, main dans la main, les premières étoiles commençaient à scintiller dans le ciel. Mais à mesure qu'ils approchaient des maisons de pierres, la réalité s'imposait à eux. Partir signifiait laisser derrière eux leurs familles, leurs amis, tout ce qu'ils connaissaient. Cela signifiait aussi affronter les incertitudes d'un monde plus vaste, où les pauvres comme eux n'étaient pas toujours les bienvenus.

En traversant la place, ils aperçurent un groupe de villageois réunis autour de l'étal de pain de la mère de Claire. Les visages étaient tendus, et les murmures remplis d'inquiétude.

— « Qu'est-ce qui se passe ? » demanda Jean, en s'approchant du groupe.

Un homme, Étienne Masfranc, se tourna vers eux, les sourcils froncés.

— « Les soldats de Vaucocour sont revenus. Ils disent qu'ils viendront chercher des provisions demain matin. Et ils parlent aussi de

Claire. »

Claire sentit son cœur se serrer. Elle avait vu Vaucocour quelques jours plus tôt, son regard lourd de convoitise. Elle avait espéré qu'il ne reviendrait pas, qu'il se lasserait. Mais ces espoirs semblaient vains.

Jean posa un bras protecteur autour de ses épaules.

— « Il ne la touchera pas, » dit-il d'une voix froide. « Pas tant que je suis là. »

Les villageois hochèrent la tête, mais l'inquiétude demeurait palpable. Abjat n'avait ni les armes ni les hommes pour se défendre contre une troupe de soldats. Et pourtant, partir semblait encore plus impossible à ce moment précis.

La nuit suivante, alors qu'ils se retrouvaient dans leur coin habituel près du Bandiat, Jean parla à voix basse.

— « Peut-être que nous devrions partir, Claire. Maintenant. Avant que Vaucocour ne fasse quelque chose. »

Elle secoua la tête, les larmes aux yeux.

— « Nous ne pouvons pas. Pas comme ça. Ma famille… nos amis… nous ne pouvons pas les abandonner. »

Jean serra les dents. Il savait qu'elle avait raison, mais il ne supportait pas l'idée de rester et de risquer leur futur.

— « Alors, nous resterons, » dit-il finalement, la voix lourde de résignation. « Mais nous nous battrons. Pour toi, pour nous, pour le village. »

Claire posa une main sur sa joue, le regard rempli de tendresse.

— « Je te suivrai, Jean, où que tu ailles. Mais promets-moi une chose. »

— « Tout ce que tu veux. »

— « Que tu resteras en vie. »

Chapitre 7 : La colère du seigneur

Le soleil déclinait sur Abjat lorsque François de Vaucocour quitta la place du marché, son cheval frappant le pavé de ses sabots. Son visage, d'ordinaire impassible, était marqué par une colère sourde. Le refus de Claire résonnait encore dans son esprit, un affront qu'il ne pouvait tolérer. Elle, une simple villageoise, avait osé rejeter son offre, et son promis, un homme sans titre ni terre, avait défié son autorité. C'était inacceptable.

Vaucocour ne voyait pas en Claire une simple conquête, mais un symbole. En la possédant, il imposerait sa volonté à ce village récalcitrant, rappelant à ses habitants qu'ils n'étaient que des sujets, des outils au service de la couronne. Mais leur résistance, incarnée par cette jeune femme et son fiancé téméraire, mettait à l'épreuve sa patience.

Alors qu'il chevauchait hors du village, sa troupe derrière lui, il murmura entre ses dents serrées : — « Ils apprendront ce que coûte le défi. »

Le cheval noir de François de Vaucocour galopait à vive allure sur la route de campagne, ses sabots frappant la terre sèche avec une régularité implacable. Les champs de blé clairsemés défilaient autour de lui, mais ses yeux ne voyaient rien. Tout son esprit était consumé par une rage froide et brûlante à la fois. La poussière tourbillonnait autour de lui, s'élevant comme la fumée d'un feu qu'il contenait difficilement.

Il était rare que Vaucocour perde son sang-froid. En homme façonné par la guerre et les intrigues de cour, il savait contrôler ses émotions. Mais ce jour-là, quelque chose s'était brisé en lui. Ce n'était pas seulement le refus de Claire, bien qu'il eût ressenti cet affront comme une humiliation. Ce qui le tourmentait encore plus, c'était le défi implicite de tout un village. Ce n'était pas simplement une fille qui l'avait rejeté, mais tout Abjat, avec ses regards de défi et ses murmures de mépris.

Alors qu'il atteignait un petit bois, il tira brusquement sur les rênes, forçant son cheval à s'arrêter. Il sauta à terre, son visage sombre, et marcha jusqu'à une clairière où il pourrait reprendre son souffle. Mais l'air frais du soir ne calma pas sa fureur. Il dégaina son épée et d'un mouvement vif, abattit la lame contre un arbre proche, laissant une profonde entaille dans l'écorce. Le coup résonna dans le silence, mais il n'apporta aucune satisfaction.

Pour François de Vaucocour, le rejet de Claire était bien plus qu'un simple affront personnel. Il représentait une menace à son autorité et à tout ce qu'il avait bâti. Depuis son plus jeune âge, on lui avait inculqué une seule vérité : un seigneur commande, et les autres obéissent. Ce n'était pas une question de choix ou de mérite, mais un ordre naturel des choses, un équilibre divinement établi.

Et pourtant, à Abjat, cet équilibre avait été renversé. Une paysanne, une simple fille née dans un village insignifiant, avait osé défier cette vérité. Non seulement elle l'avait repoussé, mais elle l'avait fait devant des témoins, devant ces villageois qui, par leur silence approbateur, avaient amplifié l'insulte. Ce jour-là, François avait vu quelque chose dans leurs yeux qui l'avait profondément troublé : un mélange de défi et de mépris. Ils ne le craignaient pas, ou du moins pas assez.

— « Ils se croient libres, » murmura-t-il, le souffle lourd.

Ces mots, à eux seuls, alimentèrent encore davantage sa rage. Dans son esprit, l'idée de liberté pour des paysans était une aberration. La liberté, pour ces gens, n'était rien de plus qu'une révolte déguisée, un poison qui menaçait l'ordre établi. Si Abjat n'était pas puni, cette idée pourrait se propager à d'autres villages, à d'autres terres.

François retourna vers son cheval et attrapa une gourde de vin accrochée à la selle. Il en but une longue gorgée, essuyant sa bouche d'un revers de manche. Le vin, bien que fort, n'apaisa pas son esprit. Il savait qu'il ne pourrait retrouver la paix tant que cet affront ne serait pas lavé.

Il s'assit sur une souche d'arbre, réfléchissant à la meilleure manière de restaurer son autorité. Une simple démonstration de force ne suffirait pas. Il ne s'agissait pas seulement de mater un village, mais de rétablir l'exemple. Il fallait que l'histoire d'Abjat devienne une leçon que d'autres n'oublieraient jamais.

— « Nous les écraserons, » dit-il à voix basse, ses yeux brillants d'une lumière dangereuse.

Il imaginait déjà les étapes de sa vengeance : réquisitionner des provisions, forcer les hommes à travailler pour lui, peut-être même détruire certains bâtiments pour montrer ce qui arrivait à ceux qui défiaient la couronne. Mais au fond de lui, François savait que cela ne suffirait pas. Il voulait humilier ces gens, les briser, pour qu'ils se souviennent toute leur vie du nom de Vaucocour.

Et Claire. Son visage apparut dans son esprit, éclatant comme une flamme dans l'obscurité. Ce n'était pas seulement son refus qui le hantait, mais sa beauté, cette lumière qui semblait défier sa colère. Il la voulait, non seulement pour son plaisir, mais comme un trophée. La prendre, c'était s'approprier cette lumière et rappeler à tous qu'il était un seigneur, que sa volonté était une loi.

Le soir même, François retrouva ses hommes dans un campement improvisé à une lieue du village. Les chevau-légers, une dizaine d'hommes armés et endurcis par la guerre s'affairaient autour du feu, mangeant et discutant à voix basse. Ils savaient que leur capitaine était d'humeur sombre, et aucun n'osait l'approcher.

François s'avança dans la lumière vacillante, son épée encore dégainée. Les conversations s'interrompirent aussitôt, et tous les regards se tournèrent vers lui.

— « Nous revenons à Abjat demain, », annonça-t-il, sa voix tranchante comme une lame. « Ces paysans pensent qu'ils peuvent se moquer de nous. Ils pensent qu'ils n'ont pas à se soumettre à leur seigneur. »

Un murmure parcourut les hommes. L'un d'eux, un certain Renard, s'avança prudemment.

— « Et que ferons-nous, capitaine ? » demanda-t-il.

François planta son épée dans le sol, levant les yeux vers la troupe.

— « Nous leur rappellerons qui commande. Prenez ce dont vous avez besoin. Nous réquisitionnerons leur blé, leur vin, leurs animaux, et leur volonté. Si quelqu'un résiste, qu'il serve d'exemple. »

Un sourire cruel se dessina sur le visage de certains soldats. Ils savaient que cela signifiait qu'ils avaient carte blanche pour piller et punir à leur guise.

Alors que la nuit avançait, François s'éloigna du campement, incapable de trouver le repos. Sa rage s'était transformée en une obsession glacée, un besoin incontrôlable de détruire. Pourtant, dans un recoin de son esprit, une autre pensée s'insinuait, presque contre sa volonté : et si les villageois résistaient vraiment ?

Il chassa cette idée avec mépris. Ce n'étaient que des paysans, armés de fourches et de faux. Comment pourraient-ils tenir tête à des soldats aguerris ? Et pourtant, quelque chose le troublait. Ce regard qu'il avait vu dans les yeux de Claire, dans les yeux de Jean. Ce n'était pas la peur habituelle qu'il inspirât, mais autre chose, quelque chose de plus dangereux : une fierté obstinée, une force qu'il n'avait pas l'habitude de rencontrer.

Il serra les poings. Peu importait leur détermination. Il avait écrasé des huguenots bien plus organisés qu'eux. Ces gens d'Abjat n'étaient rien de plus qu'une poussière sur son chemin.

Mais malgré tout, au fond de lui, une étincelle d'incertitude restait allumée.

Au lever du jour, François monta à cheval, sa troupe derrière lui. Il fit une halte sur une colline surplombant le village d'Abjat. En bas, les toits de chaume brillaient sous la lumière du matin, et les champs environnants s'étendaient, paisibles et fertiles.

François leva une main pour arrêter ses hommes.

— « Nous allons leur donner une dernière chance, » dit-il d'une voix calme, mais glaciale. « Envoyez un message. Dites-leur que s'ils se soumettent et livrent la fille, nous partirons sans causer de tort. Mais s'ils résistent… »

Il ne finit pas sa phrase. Il n'en avait pas besoin. Ses hommes comprenaient ce qui arriverait.

Alors qu'un soldat galopait vers le village pour porter le message, François observa le paysage en contrebas, une lueur froide dans les yeux.

— « Profitez de ce calme, paysans, » murmura-t-il pour lui-même. « Car il ne durera pas. »

Chapitre 8 : Le village au bord du gouffre

Abjat n'avait jamais été aussi silencieux. Même les oiseaux semblaient retenir leur chant, comme si la nature elle-même sentait que quelque chose d'inéluctable se préparait. Les ruelles du village, d'ordinaire animées par les discussions des marchands ou les rires des enfants, étaient désertes. Les portes et les volets restaient clos, mais derrière ces barrières de bois, les habitants s'agitaient. Ils savaient que la tempête approchait.

La veille, un émissaire de Vaucocour était venu au galop, son cheval couvert d'écume, et avait transmis un ultimatum : livrer Claire et les ressources du village, ou subir les conséquences. À ces mots, un frisson glacé avait parcouru les esprits. Les habitants d'Abjat savaient ce que signifiait le mot « conséquences » venant de la bouche d'un homme comme Vaucocour. Les récits des villages ravagés par ses chevau-légers circulaient encore dans les veillées. Ils parlaient de maisons brûlées, de femmes emmenées de force, et de terres laissées stériles par le pillage.

Pourtant, malgré la peur qui imprégnait l'air, le refus de céder était unanime. Claire, la lumière d'Abjat, n'était pas une monnaie d'échange. Et plus encore, céder à Vaucocour reviendrait à abandonner leur dignité. Cette fois, le village se défendrait.

Dans la grande salle de la taverne, devenue pour l'occasion un lieu de conseil, les hommes les plus influents du village s'étaient rassemblés autour d'une longue table de bois. Jean se tenait au centre, les bras croisés, le visage fermé. À ses côtés, Étienne Masfranc parlait avec fougue, ses poings frappant la table pour souligner ses propos.

— « Nous ne pouvons pas les laisser prendre Claire, », déclara-t-il, sa voix forte emplissant la pièce. « Ni nos réserves, ni nos terres. Ce village nous appartient, pas à ce chien de Vaucocour ! »

Des murmures d'approbation parcoururent la salle, mais quelques voix s'élevèrent en opposition.

— « Et si nous résistons, que crois-tu qu'il arrivera ? » demanda un vieillard au regard inquiet. « Il brûlera tout. Et après ? Nos familles ? Nos enfants ? Que leur restera-t-il ? »

Le silence s'installa un instant. Même ceux qui soutenaient la résistance savaient qu'il disait vrai. Si Vaucocour attaquait avec toute sa force, le village ne serait qu'un tas de cendres.

Jean brisa finalement le silence.

— « Si nous cédons aujourd'hui, nous céderons demain, et le lendemain encore. Vaucocour ne s'arrêtera pas à Claire ou à nos provisions. Il reviendra, toujours plus exigeant, jusqu'à ce que nous n'ayons plus rien. Si nous devons mourir, que ce soit en nous battant pour ce qui est juste. »

Sa voix tremblait légèrement, mais son regard était ferme. Une chaleur inhabituelle se propagea parmi les villageois. Jean, d'habitude réservé, parlait avec une conviction qui inspirait. Les hommes se levèrent un à un, approuvant sa décision.

— « Nous tiendrons, » déclara Étienne, croisant les bras. « Que Dieu nous aide. »

Le lendemain matin, le village entier était en effervescence. Les hommes se répartirent les tâches avec une efficacité surprenante. Certains renforçaient les portes des maisons et érigeaient des barricades rudimentaires dans les ruelles. D'autres affûtaient des faux, des serpes et des fourches, transformant les outils agricoles en armes de fortune. Les jeunes garçons couraient dans les champs pour rassembler des pierres, qui seraient utilisées comme projectiles en cas d'assaut.

Claire, malgré les protestations de Jean, participait activement. Elle aidait les femmes à confectionner des bandages avec de vieux draps et à préparer des potions de plantes pour soigner les blessures. Ses mains tremblaient parfois, mais elle se forçait à ignorer sa peur. Elle savait que, si elle cédait à la panique, tout le village risquait de s'effondrer.

Jean vint la trouver dans l'église, où elle disposait des piles de bandages près de l'autel. Il s'approcha doucement, posant une main sur son épaule.

— « Claire, » murmura-t-il, « tu n'es pas obligée de faire tout ça. »

Elle se retourna pour le regarder, son expression à la fois douce et déterminée.

— « Comment pourrais-je rester immobile alors que tout le monde se bat pour moi ? »

Jean soupira, admirant en silence la force qu'elle dégageait. Mais cette force ne faisait qu'alimenter son angoisse. L'idée qu'elle puisse être blessée ou pire, capturée par Vaucocour, était insupportable. — « Promets-moi une chose, » dit-il finalement. « Si les choses tournent mal, tu trouveras un moyen de fuir. »

Claire hocha la tête, mais ils savaient tous les deux qu'elle n'avait pas l'intention de partir.

Cette nuit-là, alors que le village s'apprêtait à l'assaut imminent, une veillée fut organisée autour d'un grand feu sur la place centrale. Les anciens racontèrent des histoires de résistances passées, des récits d'héroïsme et de sacrifice. On évoqua les batailles contre les huguenots, où des paysans armés de simples bâtons avaient tenu tête à des soldats mieux équipés. Ces histoires, bien que teintées de fierté, rappelaient aussi les pertes et les souffrances qui accompagnaient chaque victoire.

Une vieille femme, assise près du feu, entonna une complainte ancienne. Sa voix tremblait, mais les paroles résonnaient profondément dans les cœurs :
— *« Quand les cloches se taisent et que le sang coule, les âmes des justes restent debout.*

Sous le poids des chaînes ou le tranchant des lames, la liberté vaut plus que mille âmes. »

Ces mots, transmis de génération en génération, étaient une promesse silencieuse que les habitants d'Abjat se faisaient entre eux : quoi qu'il arrive, ils se tiendraient debout.

La nuit enveloppait Abjat dans un silence lourd, seulement brisé par le souffle du vent et les murmures de la veillée autour du feu. Les visages des villageois, éclairés par les flammes vacillantes, portaient la gravité d'un peuple accablé par les récents événements. Parmi eux, Jacques Perrin, un homme robuste d'une quarantaine d'années, semblait particulièrement agité. Son regard scrutait la foule avec une inquiétude palpable, comme s'il portait un secret trop lourd à garder.

Jacques avait perdu sa femme l'année précédente, emportée par une fièvre soudaine. Depuis, il consacrait toute son énergie à protéger ses deux jeunes fils, sa seule famille restante. Mais les ombres de la répression pesaient lourdement sur lui, et la peur de perdre ses enfants était devenue une obsession. Ce soir-là, alors que les habitants chantaient une vieille complainte pour apaiser leur peine, Jacques se leva discrètement et s'éloigna, se faufilant entre les maisons.

Chapitre 9 : Le Traître de l'ombre

Le village endormi derrière lui, Jacques s'enfonça dans les bois, là où l'obscurité semblait presque tangible. Les arbres, immenses et silencieux, formaient un tunnel sombre autour de lui. Son cœur battait à tout rompre, non seulement à cause de l'effort, mais aussi de la culpabilité qui montait en lui à chaque pas, mais Jacques était résolu. Il savait que, ce soir, il trahirait les siens pour sauver ce qui lui restait. Au bout d'un moment, il aperçut une silhouette mouvante parmi les ombres. Le soldat, un éclaireur de la maison de Vaucocour, émergea de la pénombre, vêtu d'un manteau sombre qui se confondait presque avec la nuit. Une lanterne dans sa main jetait une lumière tremblotante sur son visage sévère.

Jacques hésita, mais finit par avancer. Lorsqu'il fut à portée de voix, il murmura :

— « Je peux vous dire ce que vous voulez savoir. Mais promettez-moi que ma famille sera épargnée. »

Le soldat leva un sourcil, un sourire moqueur se dessinant sur ses lèvres.

— « Parle, paysan. Si ce que tu dis est utile, nous verrons ce que nous pouvons faire pour ta famille. Mais sois clair : mentir serait ta dernière erreur. »

Jacques prit une profonde inspiration. Chaque mot qu'il s'apprêtait à prononcer le rapprochait de la honte et du mépris des siens, mais aussi, pensait-il, à la survie de ses filles. D'une voix tremblante, il révéla ce qu'il savait : les cachettes des armes rudimentaires que les hommes d'Abjat avaient fabriquées, les sentinelles postées aux abords du village, et les rares plans de résistance discutés en secret. Il parlait vite, les mains tremblantes, évitant le regard perçant du soldat.

Lorsqu'il eut terminé, le soldat hocha la tête, satisfait.
— « Tu as bien fait, Jacques Perrin. Si tes informations sont exactes, nous n'aurons pas à faire couler plus de sang que nécessaire. Mais souviens-toi : si tu nous as trompés, ta famille en paiera le prix. »

Sans un mot de plus, le soldat se détourna et disparut dans les ombres, laissant Jacques seul dans le froid mordant de la nuit. Jacques resta un moment figé, les yeux fixant l'endroit où l'homme s'était volatilisé. Le poids de sa décision s'abattit sur lui avec une violence qu'il n'avait pas anticipée. Il avait parlé, mais à quel prix ?

Lorsqu'il regagna le village, la veillée touchait à sa fin. Les villageois, fatigués, se dispersaient lentement, retournant à leurs maisons ou trouvant un coin pour s'assoupir près du feu. Jacques, lui, resta en retrait, ses pensées tourmentées par ce qu'il venait de faire.

Claire,, s'approcha de lui. Elle avait remarqué son absence et l'étrange agitation dans ses gestes.
— « Tout va bien, Jacques ? » demanda-t-elle doucement.
— « Oui, oui, » balbutia-t-il, évitant son regard. « Juste… une promenade pour prendre l'air. »

Claire le fixa un moment, perplexe, mais ne dit rien. Pourtant, elle sentait que quelque chose n'allait pas.

Elle retrouva Jean pour lui parler de ses craintes.

Jacques retourna dans sa maison. Les enfants, trop jeunes pour comprendre ce qui s'était passé, l'embrassèrent comme si rien n'était arrivé. Mais pour Jacques, leur innocence ne faisait qu'accentuer le poids de sa culpabilité. Il resta éveillé toute la nuit, fixant le plafond de sa modeste demeure. Les mots du soldat résonnaient encore dans sa tête : « Parle, paysan. » Il avait parlé, oui, mais à quel prix ? Les hommes d'Abjat, ses voisins, ses amis, paieraient pour sa trahison, et il n'était même pas certain que sa famille serait réellement épargnée.

La nuit était froide, mais Jacques Perrin ne ressentait rien d'autre que le poids écrasant de sa culpabilité. Allongé sur sa paillasse, il fixait le plafond, les mains tremblantes et le cœur lourd. Les visages des villageois défilèrent dans son esprit, chacun marqué par une confiance qu'il avait trahie. Plus il y pensait, plus il comprenait qu'il ne pouvait laisser son acte causer leur perte. Une décision mûrie en lui, lente, mais irrévocable : il devait les avertir.

Jacques se leva sans bruit pour ne pas réveiller ses filles. Il les observa dormir un instant, serrés l'une contre l'autre, innocentes et inconscientes du poids qui pesait sur les épaules de leur père. Puis, il enfila son manteau usé, ouvrit la porte et s'engouffra dans la nuit.

Jacques se dirigea d'abord vers la maison de Guillaume, l'ancien instituteur et l'un des hommes les plus respectés d'Abjat. Guillaume était connu pour sa sagesse et sa capacité à garder son calme même dans les situations les plus désespérées. Jacques frappa doucement à la porte, et après quelques secondes, un Guillaume somnolent apparut, une lanterne à la main.

— « Jacques ? Que fais-tu ici à une heure pareille ? » demanda Guillaume, surpris par l'air angoissé de son visiteur.

Jacques entra sans attendre, fermant la porte derrière lui. Ses mains tremblaient tandis qu'il expliquait ce qu'il avait fait. Chaque mot semblait lui coûter une part de son âme, mais il continua, jusqu'à ce qu'il ait tout avoué : la rencontre dans les bois, les informations divulguées, et la promesse fragile du soldat.

Guillaume écouta en silence, son visage se durcissant à mesure que Jacques parlait. Quand ce dernier termina, un silence pesant s'installa. Finalement, Guillaume posa une main ferme sur l'épaule de Jacques.

— « Ce que tu as fait est grave, Jacques. Très grave. Mais il n'est pas trop tard. Si les soldats ne savent pas encore exactement quand frapper, nous pouvons leur couper la route. » Jacques, les yeux humides, hocha la tête. Il n'avait pas d'autre choix que de se fier au plan de Guillaume.

Guillaume convoqua en silence quelques hommes de confiance, ceux qui pouvaient agir sans éveiller les soupçons dans le village. Étienne, le forgeron, Claire, Jean et Marc, un jeune agriculteur déterminé, furent rapidement mis au courant de la situation. Bien que la colère gronde parmi eux en apprenant la trahison de Jacques, Guillaume apaisa les tensions.

— « Nous n'avons pas le luxe de nous diviser, » dit-il d'une voix ferme. « Si nous ne faisons rien, le village sera perdu. Jacques a fait une erreur, mais il est prêt à se racheter. Nous devons agir ensemble. »

Le plan fut élaboré dans l'urgence. Ils savaient que les soldats de Vaucocour emprunteraient le pont de la Charelle pour attaquer le village. Ce passage étroit, encadré par des collines escarpées, était le seul point d'entrée viable pour une troupe armée. Si les villageois pouvaient piéger le pont et tendre une embuscade, ils avaient une chance de défendre leur maison.

Sous le couvert de la nuit, les hommes et les femmes d'Abjat se mirent à l'œuvre. Tandis que certains creusaient des trous pour dissimuler des pieux pointus près du pont, d'autres fabriquaient des torches et des armes rudimentaires. Étienne, le forgeron, martelait frénétiquement des pointes de fer, tandis que Claire et d'autres femmes préparaient des barils de poix à incendier.

Jacques, bien qu'accablé par la honte, travailla plus dur que quiconque. Il transporta des pierres pour obstruer les routes, aida à camoufler les pièges, et n'hésita pas à mettre ses mains en sang.

Malgré les regards méfiants, il poursuivait son œuvre avec une énergie désespérée.

— « Ce que je fais ne réparera rien, » murmura-t-il à Claire, qui l'observait en silence. « Mais je ne veux pas être la raison de leur chute. » Claire, bien que dure, hocha la tête.

— « Alors, fais en sorte que ce soit aussi ta rédemption. »

`Chapitre 10 : La lumière contre l'ombre`

Le matin arriva, gris et chargé d'une humidité lourde. Les villageois prirent leurs positions avec une discipline qui trahissait leur peur. Au pont de la Charelle, Jean et Étienne se tenaient en avantgarde, leurs armes à la main. Derrière eux, les hommes les plus robustes d'Abjat se rassemblaient, prêts à défendre leur terre.

Claire, quant à elle, était restée en retrait avec les autres femmes et enfants. Elle avait insisté pour être aussi proche que possible, refusant de se cacher dans les caves comme le lui avait demandé Jean.

Alors que les premiers rayons du soleil transperçaient les nuages, le bruit des sabots résonna dans la vallée. La troupe de Vaucocour apparut, sombre et menaçante. Ils étaient moins nombreux que les villageois l'avaient imaginé, mais ils étaient mieux armés, leurs lames scintillant sous la lumière du jour.

Enfin, le bruit des sabots résonna au loin. Vaucocour et sa troupe apparurent, leurs capes flottant derrière eux. À la vue du pont, le capitaine sourit, ignorant encore le piège qui l'attendait. Il voyait les villageois en armes, mais il n'était pas impressionné. À ses yeux, ils n'étaient qu'un ramassis de paysans mal préparés. Pourtant, quelque chose dans leur posture l'irrita : ils n'avaient pas peur.

Il fit avancer son cheval jusqu'au bord du pont, suffisamment près pour que sa voix porte et leva une main pour ordonner l'arrêt de ses hommes. Le silence s'installa, si profond que l'on aurait pu entendre le murmure de la rivière sous le pont. Il tourna son regard glacial vers Jean, puis vers la masse de villageois, et sa voix s'éleva, froide et tranchante comme une lame.

— « Habitants d'Abjat, je vous offre une dernière chance. Donnezmoi la fille et vos provisions, et je repartirai sans verser une goutte de sang. Refusez, et vous connaîtrez la colère du roi. »

Un frisson parcourut la foule, mais personne ne parla. Les yeux de Vaucocour se plissèrent. Il savait reconnaître la peur, et ce qu'il voyait dans ces visages n'était pas la peur qu'il espérait : c'était du défi. Un défi qui, s'il n'était pas écrasé ici et maintenant, pourrait s'étendre comme un feu de forêt à d'autres villages. Il ne pouvait pas le tolérer.

Jean s'avança d'un pas, tenant fermement une vieille épée qu'il avait trouvée dans le grenier de son père. Sa voix, bien que tremblante au début, devint ferme lorsqu'il parla.

— « Abjat ne se rendra pas, Vaucocour. Vous pouvez menacer, mais vous ne pouvez pas briser notre esprit. Si vous voulez Claire, vous devrez nous passer sur le corps. »

Un murmure parcourut les villageois, un mélange de fierté et de crainte. Mais l'effet fut immédiat. La ligne d'Abjat sembla se resserrer, chaque homme et femme prenant une posture plus résolue.

Vaucocour sourit, un sourire cruel qui ne toucha pas ses yeux. Il tira son épée de son fourreau dans un mouvement lent et menaçant, la lame scintillant dans la lumière grise.

— « Très bien, » dit-il, presque doucement. « Je vous passerai sur le corps. »

Le premier cri fut celui d'un soldat de Vaucocour, qui éperonna son cheval et s'élança sur le pont. Mais il n'atteignit jamais l'autre rive. Une pierre, lancée avec précision par un jeune garçon caché derrière une barricade, frappa l'homme à la tempe. Il bascula de sa monture dans un fracas de métal et de chair, son corps roulant sur les pavés avant de sombrer dans l'eau du Bandiat.

Ce fut le signal. Les hommes d'Abjat, hurlant comme un seul homme, se jetèrent sur le pont, leurs armes de fortune brandies. Les soldats de Vaucocour, bien mieux équipés et entraînés, avancèrent en formation, leurs épées et leurs lances formant une barrière mortelle.

Claire, bien qu'en retrait, pouvait sentir la violence de l'affrontement. Le bruit des épées qui s'entrechoquaient, des cris de douleur et de rage, et le martèlement des sabots résonnaient dans la vallée, se mêlant au grondement de la rivière. Elle voulait détourner les yeux, mais elle ne le pouvait pas. Son regard restait fixé sur Jean, qui combattait en première ligne, sa vieille épée se levant et s'abaissant avec une détermination désespérée.

Les villageois avaient l'avantage du nombre et de la connaissance du terrain, mais les soldats de Vaucocour étaient implacables. À chaque villageois qui tombait, deux autres prenaient sa place, mais les pertes commençaient à peser. Étienne Masfranc, l'un des meneurs les plus fougueux, fut frappé à la poitrine par une lance et s'effondra, son cri de défi s'éteignant dans un gargouillis sanglant.

Alors que le chaos s'intensifiait, Claire sentit une vague de détermination la traverser. Elle ne pouvait pas rester là à regarder. Elle attrapa un panier rempli de bandages et de remèdes et courut vers les barricades, ignorant les appels des autres femmes pour qu'elle reste en sécurité.

Elle trouva Jean, le visage couvert de sueur et de terre, combattant un soldat deux fois plus grand que lui. Le soldat, voyant Claire s'approcher, détourna un instant son attention, ce qui permit à Jean de porter un coup décisif à son flanc. L'homme s'effondra avec un cri étouffé, et Jean se retourna vers Claire, les yeux écarquillés. — « Qu'est-ce que tu fais ici ? » cria-t-il, la voix pleine de panique. — « Je ne pouvais pas rester en arrière, » répondit-elle, essuyant une larme mêlée de poussière sur sa joue. « Je suis ici pour aider. »

Jean serra la mâchoire, partagé entre la fierté et la peur. Il n'eut pas le temps de répondre, car un autre soldat s'avançait déjà vers eux.

De l'autre côté du pont, François de Vaucocour observait la bataille avec une colère croissante. Ce n'était pas ce qu'il avait prévu. Ces paysans, qu'il avait méprisés, se révélaient être des adversaires bien plus coriaces que prévu. Pire encore, ils gagnaient du terrain. Il serra les poings autour de la garde de son épée.

— « Avancez ! » hurla-t-il à ses hommes. « Écrasez-les ! »

Il éperonna son cheval et s'engagea lui-même sur le pont, sa lame s'abattant avec une précision mortelle sur quiconque se trouvait sur son chemin. Il était comme un tourbillon de rage, frappant sans relâche, sa voix résonnant au-dessus du vacarme.

Lorsqu'il atteignit l'autre rive, il vit Claire, debout aux côtés de Jean, distribuant des bandages à ceux qui en avaient besoin. Sa vision se rétrécit. Tout ce qu'il voyait, c'était elle. La lumière qu'il voulait posséder. La beauté qu'il voulait écraser sous son pouvoir.

Il dirigea son cheval vers elle, balayant les villageois sur son chemin. Mais avant qu'il ne puisse l'atteindre, Jean s'interposa, son épée levée.

— « Tu ne la toucheras pas, » cracha Jean, le regard brûlant de défi.

Vaucocour sourit, un sourire cruel.

— « Ainsi soit-il, mon garçon. »

Le combat entre Jean et Vaucocour fut bref, mais intense. Jean, bien qu'inexpérimenté, combattait avec la force du désespoir. Mais

Vaucocour, vétéran de nombreuses batailles, jouait avec lui comme un chat avec une souris. Chaque coup de Jean était paré avec une facilité déconcertante, et chaque contre-attaque de Vaucocour se rapprochait dangereusement.

Claire regardait, le cœur battant à se rompre, incapable de détourner les yeux. Lorsque Vaucocour désarma finalement Jean, le coupant légèrement au bras pour le faire tomber à genoux, elle sentit une rage incontrôlable monter en elle.

— « Laisse-le ! » cria-t-elle, se jetant entre Vaucocour et Jean.

Vaucocour abaissa son épée, surpris par son audace. Mais son sourire revint rapidement.

— « Enfin, » murmura-t-il. « La lumière m'appartient. »

Il tendit une main vers Claire, mais, avant qu'il ne puisse la toucher, une pierre lancée avec une force incroyable frappa sa tempe. Étourdi, il tituba en arrière, et Jean, saisissant l'opportunité, attrapa une faux tombée près de lui et la brandit devant Vaucocour.

— « Recule, » grogna-t-il, le regard empli de haine.

— « Sus aux brigands ! » hurlaient les villageois, se précipitant vers les envahisseurs.

La bataille avait commencé, et avec elle, le destin d'Abjat allait basculer.

Chapitre 11 : Le sacrifice des héros

Le pont de la Charelle, trempé de sang et jonché de corps, était devenu un champ de désolation. Le vacarme de la bataille s'élevait jusqu'aux collines environnantes, mêlant les cris de guerre aux râles d'agonie. Au cœur de ce chaos, François de Vaucocour continuait de se battre, un tourbillon d'acier et de haine. Son cheval, blessé, mais toujours debout, frappait le sol de ses sabots, propulsant son cavalier dans une danse meurtrière.

De l'autre côté, les villageois d'Abjat tenaient leur ligne, malgré leurs pertes. Chaque vie sacrifiée était une preuve de leur détermination. Chaque cri de douleur résonnait comme un chant de résistance. Parmi eux, Jean se battait encore, bien que sa respiration soit lourde et ses mouvements ralentis par l'épuisement. Son bras gauche saignait abondamment, la blessure infligée par Vaucocour lui arrachant chaque instant un peu plus de force.

Claire, à quelques mètres, regardait cette scène avec une horreur grandissante. Les hommes qu'elle aimait, son Jean, son village, se battaient jusqu'à la dernière goutte de leur courage, et pourtant, le capitaine ennemi semblait invincible. Elle serrait contre elle une petite trousse de soins, ses mains tremblantes, priant pour un miracle.

Dans l'ombre d'un bosquet situé en surplomb, Simon Masfranc, le frère d'Étienne, observait la scène. Il était l'un des rares villageois à posséder une carabine, héritée de son grand-père, un ancien soldat. Jusqu'à présent, il s'était retenu de tirer, sachant que chaque balle comptait et qu'un tir manqué ne ferait qu'attirer l'attention de l'ennemi sur sa position.

Mais lorsqu'il vit Vaucocour s'élancer de nouveau, sa lame étincelante visant Jean, il comprit que le moment était venu. Le capitaine, bien que protégé par son armure légère, avait le cou dégagé, une faiblesse que Simon avait repérée plus tôt.

Il ajusta sa carabine, appuyant le canon contre son épaule, et ferma un œil pour mieux viser. Son souffle ralentit. Le chaos semblait s'éloigner, laissant place à un silence oppressant. Il n'entendait plus que les battements de son cœur.

— « Pour Étienne, » murmura-t-il, la voix emplie de douleur.

Il appuya sur la détente. Le bruit du coup de feu éclata, se répercutant dans toute la vallée. Une fraction de seconde plus tard, François de Vaucocour, frappé en pleine gorge, bascula en arrière. Sa main lâcha son épée tandis que son corps tombait lourdement du cheval, un jet de sang jaillissant de sa blessure.

Le corps du capitaine heurta le sol dans un fracas métallique, et, pour la première fois depuis le début de la bataille, un silence étrange s'installa. Les soldats de Vaucocour, stupéfaits, s'arrêtèrent net. Ils regardaient leur chef, étendu sur le sol, son sang imprégnant les pavés du pont. L'homme qui incarnait leur puissance et leur terreur venait de tomber.

Les villageois, eux aussi, restèrent figés un instant, incapables de croire ce qu'ils venaient de voir. Puis, un cri de triomphe s'éleva, brisant l'immobilité : — « Vaucocour est mort ! »

Ce cri, porté par les lèvres d'un jeune homme, se propagea comme une traînée de poudre. Les hommes d'Abjat se redressèrent, leurs faux et leurs fourches à la main, et se jetèrent sur les soldats désorientés. La peur avait changé de camp.

Jean, qui avait vu Vaucocour tomber, ressentit une vague de soulagement, mais elle fut rapidement remplacée par un sentiment de devoir. La mort du capitaine ne signifiait pas encore la victoire. Les soldats ennemis, bien que démoralisés, continuaient à se battre, certains animés par le désespoir, d'autres par la rage de venger leur chef.

Un chevalier, plus jeune que les autres, vit Jean comme une cible facile. Il chargea, son épée levée, prêt à l'abattre. Jean, bien que blessé et presque à bout de forces, parvint à esquiver le coup de justesse. Son épée rouillée trouva la faille dans l'armure de son adversaire, et l'homme s'effondra à son tour.

Mais Jean, en évitant l'attaque, avait exposé son flanc à un autre soldat, qui n'hésita pas. Une lame froide transperça son côté, s'enfonçant profondément. Il resta un instant figé, la douleur le submergeant, puis tomba à genoux.

Claire, qui avait assisté à la scène, poussa un cri déchirant. Elle lâcha tout ce qu'elle tenait et courut vers lui, ses pieds glissant sur les pavés ensanglantés. Jean tenta de se relever, mais son corps ne lui obéissait plus. Il sentit la chaleur de son propre sang couler sur ses mains.

Lorsqu'elle atteignit son côté, Claire tomba à genoux, prenant son visage entre ses mains tremblantes.

— « Jean ! » sanglota-t-elle. « Tiens bon, je vais te sauver ! » Il ouvrit les yeux, un faible sourire se dessinant sur ses lèvres.

— « Claire… » murmura-t-il. « Tu es en sécurité… c'est tout ce qui compte. »

Elle secoua la tête, refusant d'accepter ce qu'elle voyait. Elle pressa un morceau de tissu contre sa blessure, mais le sang continuait de couler. Autour d'eux, la bataille touchait à sa fin, les soldats de Vaucocour abandonnant leurs armes ou fuyant, mais Claire n'y prêta aucune attention.

Jean leva une main tremblante pour caresser sa joue, laissant une trace rouge sur sa peau.

— « Vis… pour nous deux, » murmura-t-il.

Puis, dans un dernier souffle, il ferma les yeux. Son corps devint immobile, et avec lui, une partie du cœur de Claire se brisa à jamais.

Les villageois, après avoir repoussé les derniers ennemis, se regroupèrent sur le pont. Leurs visages étaient marqués par la fatigue, la douleur et le soulagement. Mais lorsqu'ils virent Claire agenouillée près du corps de Jean, un silence respectueux s'installa. Ils savaient que leur victoire avait un prix.

Simon Masfranc descendit du bosquet, la carabine encore fumante à la main. Lorsqu'il atteignit le pont, il posa une main sur l'épaule d'un jeune garçon qui pleurait en silence.

— « Nous avons gagné, » dit-il, sa voix rauque. Mais dans ses yeux, il n'y avait pas de joie. Seulement une profonde tristesse.

Les villageois se rassemblèrent autour du corps de Jean et de celui de Vaucocour. L'un était mort pour protéger sa maison et ceux qu'il aimait, l'autre pour nourrir son orgueil et son ambition. Ce contraste, si brutal, laissait une impression indélébile.

Claire, toujours agenouillée, ne bougeait pas. Elle serrait la main de Jean, ses larmes tombant sur ses doigts froids. Une vieille femme s'approcha et posa un châle sur ses épaules, murmurant des paroles de réconfort. Mais rien ne pouvait apaiser la douleur de Claire.

Alors que le soleil se couchait, les cloches de l'église Saint-Jean retentirent. Leur son, grave et solennel, semblait rendre hommage aux morts. Les villageois commencèrent à ramasser les corps, honorant les leurs et enterrant les ennemis loin des champs fertiles.

Simon et quelques hommes creusèrent une fosse pour Vaucocour au bord du Bandiat, là où la rivière serpentait entre les pierres. Ils y placèrent son corps et posèrent une lourde pierre au-dessus. — « Qu'il repose là, sous cette rivière », déclara Simon. « Peut-être que l'eau effacera ses péchés. »

Le village était sauvé, mais le prix de cette liberté pesait sur chaque âme. Les regards des survivants se tournaient vers Claire, qui, malgré sa douleur, était devenue un symbole de leur résistance.

Chapitre 12 : L'éclat fragile de la sérénité

Les jours qui suivirent la bataille furent étrangement calmes. Comme si le monde, lassé de la violence et du tumulte, avait décidé d'accorder à Abjat un répit bien mérité. Les collines baignées de lumière printanière semblaient plus paisibles que jamais, et les eaux du Bandiat, teintées des échos de la tragédie, coulaient avec une sérénité presque irréelle.

Les soldats de Vaucocour s'étaient dispersés, abandonnant tout espoir de vengeance ou de représailles. Leur capitaine gisait désormais sous une lourde pierre dans le lit de la rivière, emportant avec lui ses ambitions et son pouvoir. Le roi, trop absorbé par ses guerres lointaines et ses intrigues politiques, sembla ne jamais apprendre ce qui s'était passé dans ce petit village perdu du Périgord. Abjat, autrefois bruyant et agité, se retrouvait suspendu dans un étrange état d'entredeux, oscillant entre le soulagement de la survie et le poids accablant des pertes.

Au cœur de ce silence pesant, Claire s'éveillait chaque matin avec le même rituel. Enroulée dans le « moutchadou » noir des veuves, un voile simple, mais lourd de sens, elle quittait la maison familiale à l'aube et se rendait à l'église. L'air frais du matin portait encore les senteurs de la bataille passée, l'odeur du sang mêlé à celle de la terre humide, et chaque pas sur les pavés d'Abjat lui rappelait ce qu'elle avait perdu.

Dans l'église Saint-Jean, devenue son sanctuaire, elle s'agenouillait devant l'autel. Les premières lueurs du jour passaient à travers les vitraux, projetant des éclats de couleur sur la pierre grise et froide. Claire récitait ses prières à voix basse, appelant Dieu à veiller sur l'âme de Jean, ce garçon qui avait donné sa vie pour elle, pour le village. Ses mots étaient simples, mais pleins d'une ferveur sincère.

Chaque jour, elle apportait avec elle un objet qui appartenait à Jean, une chemise qu'il portait souvent, un petit couteau qu'il utilisait pour tailler des bâtons. Ces souvenirs, aussi ordinaires soient-ils, étaient devenus ses trésors. Elle les déposait devant la statue de la Vierge, les yeux pleins de larmes, comme si offrir ces fragments de lui pouvait la rapprocher de son esprit.

Mais ce n'était pas seulement le deuil qui habitait Claire. Il y avait aussi une colère sourde, qu'elle n'osait exprimer, mais qui la consumait à l'intérieur. Pourquoi le destin avait-il pris Jean et épargné tant d'autres ? Pourquoi la liberté de son village avait-elle coûté la vie de celui qu'elle aimait le plus ? Ces questions, elle les portait comme un fardeau invisible, un poids qu'aucune prière ne semblait alléger.

Chaque soir, lorsque le soleil commençait à décliner, Claire quittait l'église et se dirigeait vers le bord du Bandiat. La rivière, désormais calme, semblait être devenue un lieu sacré. C'était là que Vaucocour reposait, et c'était là aussi que Jean avait versé son sang. Le Bandiat était devenu un témoin silencieux de la tragédie, une frontière entre la vie et la mort.

Assise sur une pierre plate près de l'eau, Claire laissait ses pensées errer. Elle se souvenait des moments passés avec Jean : leurs promenades le long des collines, leurs éclats de rire près des champs de blé, et la promesse qu'ils s'étaient faite de bâtir une vie ensemble. Ces souvenirs, bien qu'empreints de bonheur, étaient aussi une source de douleur insupportable.

Mais il y avait autre chose dans ces soirées au bord de la rivière. Une rumeur étrange, presque imperceptible, semblait s'élever des eaux. Parfois, au milieu du silence, Claire croyait entendre un son. Ce n'était pas le murmure naturel du courant ou le bruissement des roseaux. Non, c'était quelque chose de plus pur, de plus solennel. Une note claire, presque comme une cloche qui résonnait au loin. La première fois qu'elle l'entendit, elle pensa qu'elle avait rêvé. Mais chaque soir, le son revenait, fragile, mais constant. Était-ce un signe ? Une voix de l'au-delà ? Ou simplement le fruit de son imagination, un écho de son chagrin ? Elle ne pouvait le dire, mais elle revenait chaque soir, attendant ce moment où le Bandiat semblait lui parler. Les champs abandonnés pendant la bataille retrouvaient leurs travailleurs, et les cloches de l'église, silencieuses depuis le jour de l'affrontement, recommencèrent à sonner, marquant les heures et les messes.

Mais, malgré cette apparente normalité, Abjat portait les cicatrices de son combat. Chaque famille avait perdu quelqu'un, un mari, un fils, un frère. Les veillées étaient devenues plus sombres, les rires plus rares. Les anciens du village, qui se souvenaient d'autres temps de guerre et de révolte, disaient que ces blessures mettraient des générations à guérir.

Claire, en particulier, était devenue une figure centrale de ce deuil collectif. Les femmes du village venaient souvent lui parler, cherchant du réconfort ou offrant le leur. Elles voyaient en elle non seulement la veuve de Jean, mais aussi le symbole de leur victoire, la raison pour laquelle ils s'étaient battus. Mais pour Claire, ce rôle était une charge écrasante. Elle ne voulait pas être un symbole ; elle voulait simplement retrouver Jean.

Un soir, alors qu'elle revenait de la rivière, Claire croisa Simon Masfranc près du pont de la Charelle. Il était assis sur une pierre, sa carabine posée à ses côtés, et semblait perdu dans ses pensées. Lorsqu'il la vit, il se leva et la salua, un mélange de respect et de gêne dans son regard.

— « Claire, » murmura-t-il. « Vous venez souvent ici, n'est-ce pas ? »
Elle hocha la tête, s'arrêtant à quelques pas de lui.
— « Oui, » répondit-elle doucement. « C'est un endroit… apaisant. »
Simon baissa les yeux vers la rivière, son visage marqué par une tristesse qu'il ne cherchait pas à cacher.
— « Vous savez, c'est moi qui ai tiré sur Vaucocour. Mais parfois, je me demande si j'ai vraiment fait ce qu'il fallait. Si sa mort en valait la peine. »
Claire posa une main sur son bras, un geste rare de réconfort. — « Vous avez sauvé le village, Simon. Vous avez sauvé bien plus que vous ne le pensez. »
Il la regarda, les yeux pleins de gratitude, mais aussi de doute.
— « Et pourtant, nous avons perdu tant de choses. Tant de gens. »
Claire hocha la tête, incapable de répondre. Elle comprenait ce qu'il ressentait. La victoire avait un goût amer, et il était difficile de concilier leur triomphe avec les pertes qu'il avait coûtées.

Les semaines passèrent, et le printemps céda la place à l'été. Les champs autour d'Abjat commencèrent à reprendre vie, les blés ondulant sous la brise comme une mer dorée. Le village, bien que marqué par la tragédie, retrouvait peu à peu une routine.

Claire, quant à elle, continua de porter le deuil, mais quelque chose en elle commença à changer. Les prières à l'église devinrent moins fréquentes, remplacées par des heures passées dans les champs, à aider les familles qui avaient le plus souffert. Elle parlait aux enfants, leur racontant des histoires de courage et d'espoir, et partageait avec eux des sourires qui, bien que rares, illuminaient son visage.

Elle retourna au Bandiat, mais cette fois avec une intention différente. Là où elle cherchait autrefois des réponses ou un signe, elle trouva une forme de paix. Le murmure de la rivière était toujours là, et cette note étrange et pure continuait de résonner dans l'air. Mais Claire ne la percevait plus comme une voix du passé. Elle la voyait désormais comme une promesse, une mélodie qui parlait d'un avenir possible.

Un soir, alors que le soleil plongeait derrière les collines, elle s'agenouilla près de l'eau et murmura une prière. Ce n'était pas une prière pour le passé, ni même pour elle-même. C'était une prière pour le village, pour les générations à venir, et pour que la lumière qu'ils avaient défendu ce jour-là ne s'éteigne jamais.

Et au loin, comme pour lui répondre, la cloche d'Abjat sonna, claire et pure, s'élevant dans le silence du crépuscule.

Chapitre 13 : Les racines de Claire

Avant que la tragédie ne frappe Abjat, avant que Claire ne devienne une figure symbolique de résilience, elle était simplement une fille du village, aimée et chérie par une famille modeste. Ses parents, Pierre et Hélène Lafarge, représentaient ce que le village avait de plus solide : des gens simples, travailleurs, mais emplis d'un amour profond pour leur terre et leur communauté.

Hélène, la mère de Claire, était une femme d'une grâce tranquille. Petite de stature, mais dotée d'une énergie inépuisable, elle était connue dans tout Abjat pour ses talents de boulangère. Chaque mardi, elle tenait un étal au marché, où elle vendait des miches de pain dorées, des brioches sucrées et des tourtes aux noix qui attiraient des clients de plusieurs villages alentour. Mais plus que ses pâtisseries, c'était son sourire chaleureux et son écoute attentive qui faisaient d'elle une figure centrale du marché.

— « Hélène est comme le pain qu'elle cuit, » disait-on souvent à Abjat. « Toujours réconfortante et essentielle. »

Malgré la dureté de la vie au village, Hélène était une mère aimante et une femme profondément religieuse. Chaque soir, après avoir nettoyé la cuisine et rangé les outils du jour, elle s'agenouillait près de son lit pour réciter des prières, demandant à Dieu de protéger sa famille. C'est d'elle que Claire avait hérité sa tendresse et son sens du devoir. Hélène voyait en sa fille une lumière rare, une âme destinée à illuminer bien plus que leur modeste foyer.

— « Claire, ma petite étoile » lui disait-elle souvent en passant une main douce dans ses cheveux. « Tu es née pour quelque chose de grand, même si ni toi ni moi ne savons encore quoi. »

Si Hélène représentait la chaleur et la douceur, Pierre, le père de Claire, incarnait la solidité. Grand, robuste, et souvent couvert de poussière ou de boue, il travaillait comme meunier et marchand de grains. Son moulin, situé en amont du Bandiat, était un lieu de passage où les villageois venaient moudre leur blé, leur seigle ou leurs châtaignes. L'odeur de farine fraîche et le ronronnement constant des meules faisaient partie de l'enfance de Claire.

Pierre n'était pas un homme de grandes paroles, mais ses actions parlaient pour lui. Il travaillait dès l'aube, ses mains calleuses et son dos courbé témoignant des années de labeur. Pourtant, malgré ses longues journées, il trouvait toujours du temps pour Claire. Le dimanche, il l'emmenait souvent marcher près du moulin, lui montrant comment repérer les meilleurs arbres pour le bois ou l'enseigner sur la manière dont les cycles des saisons influençaient les récoltes. — « La terre a ses secrets, Claire, » lui disait-il en traçant des lignes dans la terre meuble. « Si tu l'écoutes, elle te parle. Et si tu la respectes, elle te donne. »

C'est de Pierre que Claire tenait son pragmatisme et sa compréhension profonde du lien entre les hommes et la nature. Mais il lui enseigna aussi des leçons de droiture et de courage. Il croyait fermement en la justice et n'hésitait pas à se dresser contre ceux qui tentaient d'abuser des faibles. Cette valeur, transmise à Claire, deviendrait un pilier de sa vie.

La maison des Lafarge, située non loin du Bandiat, était modeste, mais accueillante. Les murs de pierre brute, blanchis à la chaux, brillaient sous le soleil d'été, tandis que le toit de tuiles rouges offrait un abri sûr contre les pluies d'automne. À l'intérieur, une grande cheminée dominait la pièce principale, où le feu crépitait presque toute l'année. C'était autour de cette cheminée que la famille se rassemblait chaque soir, partageant un repas simple, mais nourrissant et des histoires qui faisaient oublier les difficultés du quotidien.

Claire, enfant unique, grandit dans un foyer où l'amour compensait largement l'absence de richesse. Ses parents, bien que modestes, lui offrirent tout ce qu'ils pouvaient : une éducation pratique, un sens aigu du respect et de la générosité, et une foi en la beauté du monde, même dans les moments les plus sombres.

Les journées de Claire étaient rythmées par les travaux domestiques, les jeux près du Bandiat et les moments volés dans les champs voisins où elle aimait courir pieds nus, sentant l'herbe fraîche sous ses pieds. Mais ce qu'elle aimait le plus, c'était aider sa mère au marché ou son père au moulin. Ces moments partagés avec eux étaient autant d'occasions d'apprendre et de renforcer les liens familiaux.

Comme pour tant de familles du Périgord, les années de grandes intempéries et de guerre n'épargnèrent pas les Lafarge. Les récoltes maigres, les taxes écrasantes et la pression constante des recruteurs royaux s'abattirent sur eux comme sur le reste du village. Pierre, qui avait toujours été fort, commença à montrer des signes de fatigue. Ses épaules, autrefois si droites, semblaient s'affaisser sous le poids des sacs de grain qu'il transportait chaque jour. Et Hélène, bien que toujours vaillante, laissait parfois échapper un soupir qui trahissait l'ampleur de son épuisement.

Claire, encore adolescente, ressentait cette tension croissante. Elle voyait ses parents se démener pour maintenir leur foyer à flot, refusant de se plaindre, mais portant les marques de leurs sacrifices. Elle se mit à travailler plus dur, prenant en charge une partie des tâches pour soulager sa mère et son père.

Puis vint la tragédie. Pierre tomba malade un hiver particulièrement rigoureux. Ce qui avait commencé comme un simple rhume se transforma en une fièvre implacable. Malgré les efforts du chirurgien du village, le père de Claire s'éteignit quelques jours avant Noël, laissant un vide immense dans leur foyer. Hélène, dévastée, mais résiliente, trouva la force de continuer, pour Claire. Mais sa santé, déjà fragile, commença à décliner elle aussi.

La perte de ses parents, bien que dévastatrice, forgea en Claire une force intérieure qu'elle porterait toute sa vie. De son père, elle garda l'amour de la terre et le respect de la nature. De sa mère, elle hérita une foi indéfectible en l'humanité, même dans les pires circonstances. Ensemble, ils lui avaient donné les outils pour non seulement survivre, mais aussi pour guider les autres.

Même après leur mort, Claire trouvait leur présence dans chaque coin de leur maison, dans chaque objet du quotidien. Le moulin, abandonné, mais toujours debout, semblait murmurer les leçons de Pierre. Et le parfum du pain chaud, qu'elle continuait de faire en l'honneur de sa mère, la ramenait à ces moments d'insouciance où tout semblait encore possible.

Lorsque les événements tragiques qui allaient marquer Abjat commencèrent à se dessiner, Claire sentit que tout ce qu'elle faisait portait en elle l'empreinte de ses parents. Leur mémoire l'accompagnait dans chaque décision, chaque geste de courage. Lorsqu'elle se dressa pour défendre le village ou lorsqu'elle trouva la force de pardonner à François de Vaucocour, c'était leur héritage qui parlait à travers elle.

Chapitre 14 : La vengeance des Vaucocour

Le silence régnait sur le domaine des Vaucocour à Thiviers, mais ce n'était pas une paix véritable. Depuis la mort de François de Vaucocour, une tension hantait chaque couloir, chaque pierre des murs froids. Gaston, le frère cadet, errait dans le grand hall du château, ses bottes résonnant sur le sol dallé. Son esprit bouillonnait, empli de colère et d'un besoin irrépressible de justice.

François n'avait jamais été un modèle de vertu. Cependant, il était leur frère, le protecteur de leur lignée, et son rôle comme capitaine des chevau-légers n'était pas seulement une fonction militaire : c'était une extension de l'autorité royale. Sa mort, aux mains de simples paysans, n'était pas qu'une tragédie personnelle. C'était une insulte à l'honneur des Vaucocour et un défi direct à la noblesse et à la couronne.

Gaston n'était pas un homme de guerre comme François. Là où son frère avait brandi l'épée avec arrogance, Gaston préférait les intrigues silencieuses, les plans savamment échafaudés. Pourtant, cette fois, son sang noble bouillonnait. Il ne pouvait rester immobile tandis qu'un village entier commémorait la mort de son frère.

Assis dans le bureau sombre du château, Gaston observa les portraits de leurs ancêtres accrochés aux murs. Chaque visage, peint avec une gravité imposante, semblait le fixer avec reproche. Leur lignée avait prospéré pendant des générations grâce à une loyauté sans faille envers le roi et une autorité incontestée sur leurs terres. La mort de François représentait une rupture dans cette continuité, une tache indélébile sur leur nom.

Il serra le poing, ses ongles s'enfonçant dans sa paume. Ce n'était pas que son honneur qu'il devait défendre, mais celui de ses ancêtres et de leurs descendants. Les Vaucocour ne pouvaient être vus comme faibles. Si ce village n'était pas puni, d'autres pourraient suivre son exemple.

— « Je ne laisserai pas leur défi impuni, » murmura-t-il à voix basse, sa voix résonnant dans la pièce vide.

Il appela son secrétaire, un homme maigre au visage sévère nommé Mathurin, et dicta une série de lettres. L'une était destinée aux nobles alliés de la famille, sollicitant leur soutien. Les autres étaient adressées aux représentants du roi dans la région, demandant audience et plaidant la gravité des événements. Gaston savait qu'il devait frapper fort et vite pour mobiliser le pouvoir de la cour.

Quelques jours plus tard, Gaston quitta Thiviers, accompagné d'une petite escorte. Son voyage vers Paris fut marqué par des nuits sans sommeil, passées à imaginer les mots exacts qu'il adresserait au roi et à Richelieu. Dans son esprit, il voyait déjà la scène : Louis XIII, grave et solennel, écoutant son récit ; Richelieu, implacable et stratège, acceptant de punir Abjat pour restaurer l'autorité royale.

Mais, ce voyage fut aussi une plongée dans une réalité que Gaston connaissait mal. À chaque étape, il traversait des villages misérables, leurs maisons en ruines, leurs champs clairsemés. Les guerres et les impôts avaient vidé les campagnes de leur force vitale. Ces scènes, bien qu'éloquentes, ne suscitèrent en lui aucune compassion.
Pour Gaston, cette misère était le prix que les paysans devaient payer pour protéger un royaume en guerre.

Il passa plusieurs nuits dans des auberges modestes, où les murmures des villageois résonnaient comme un écho lointain de la révolte d'Abjat. Ces murmures lui rappelaient que l'insolence n'était pas limitée à un seul village. Si Abjat n'était pas écrasé, d'autres pourraient suivre son exemple.

Lorsque Gaston arriva à Paris, la splendeur de la cour le frappa comme toujours. Les immenses salons du Louvre résonnaient des rires et des murmures des courtisans, et chaque coin regorgeait de fastes et d'intrigues. Mais Gaston ne se laissa pas distraire. Il était ici pour une raison bien précise : obtenir justice.

Grâce aux relations établies par sa famille, Gaston obtint une audience rapide auprès de Richelieu. Le cardinal, vêtu de sa célèbre soutane rouge, l'accueillit dans un salon privé. Son regard perçant semblait lire chaque pensée de Gaston avant même qu'il ne prenne la parole.

— « Monsieur de Vaucocour », commença Richelieu, sa voix calme, mais autoritaire, « j'ai entendu parler de la mort de votre frère. Un incident regrettable, en effet. » Gaston s'inclina profondément.

— « Votre Éminence, la mort de François est bien plus qu'un incident. Elle est une attaque contre la noblesse et l'autorité royale. Si un village peut se permettre de tuer un capitaine du roi, où s'arrêtera l'insolence des paysans ? »

Richelieu tapota le bras de son fauteuil, pensif.

— « Votre frère, bien que loyal, semble avoir agi de manière… imprudente. Une révolte de cette ampleur ne naît pas de rien. » Gaston sentit son sang bouillir. Il savait que Richelieu était connu pour son pragmatisme, mais entendre son frère critiqué, le mettait à rude épreuve.

— « Votre Éminence, François n'a fait que remplir son devoir. Ces villageois ont tué un serviteur du roi. Si nous n'agissons pas, nous envoyons un message de faiblesse à toute la région. » Richelieu, après un long silence, hocha la tête.

— « Vous avez raison sur un point, Monsieur de Vaucocour. L'ordre doit être maintenu. Je veillerai à ce que cette affaire soit portée à l'attention du roi. »

Bien que Gaston fût satisfait de la réponse de Richelieu, il savait que le cardinal pesait chaque décision en fonction de ses avantages politiques. La guerre de Trente Ans absorbait l'essentiel des ressources du royaume, et une répression coûteuse risquait de ne pas être une priorité. Gaston devait s'assurer que cette affaire devienne une question d'honneur pour la cour.

Il passa les jours suivants à nouer des alliances, s'entretenant avec d'autres nobles qui avaient souffert de rébellions similaires. Ensemble, ils montèrent un dossier détaillé, décrivant les dangers d'une révolte non réprimée et insistant sur la nécessité d'une punition exemplaire. Gaston usa de tout son charme et de ses contacts pour convaincre les sceptiques.

Mais au fond de lui, il savait que cette bataille se jouerait autant dans les couloirs de la cour que dans les plaines du Périgord.

Le soir, seul dans ses appartements, Gaston laissait tomber le masque de calme qu'il portait en public. Il parcourait les lettres de son frère François, certaines encore tachées d'encre séchée. Ces écrits, bien que pragmatiques, révélaient aussi l'ambition et l'arrogance de François. Mais, pour Gaston, ces défauts ne diminuaient en rien la valeur de son frère.

— « Ils le paieront, François, » murmura-t-il, ses doigts crispés autour d'une plume. « Leur liberté, leur prospérité, tout ce qu'ils croient avoir gagné… je leur arracherai. »

Cette vengeance n'était pas seulement pour François. C'était une manière de restaurer l'équilibre, de rappeler à ces paysans qu'ils n'étaient rien d'autre que des sujets. Leur terre, leurs vies, leurs âmes mêmes appartenaient au roi et à ses représentants.

Pendant ce temps, dans le Périgord, le village d'Abjat sentait l'orage approcher. Les messagers royaux, vêtus de leur livrée officielle, portaient des lettres scellées aux chefs du village, leur annonçant la gravité de leur situation. Simon Masfranc, bien que fier de son acte, savait que son coup de carabine avait déclenché une avalanche.

Claire, toujours en deuil, observait ces événements avec une inquiétude grandissante. Elle voyait les visages de ses voisins s'assombrir, et les murmures se multiplier autour des feux de veillée. La peur était palpable, mais une lueur de défi persistait dans leurs regards.

Abjat, bien que meurtri, n'était pas encore brisé.

Chapitre 15 : Le dernier voyage de François de Vaucocour

La fin de François de Vaucocour, bien que brutale et inattendue, n'apporta pas immédiatement la paix à Abjat. Son corps, abandonné sur le champ de bataille après la confrontation au pont de la Charelle, fut enterré sommairement par les villageois, non par respect, mais par nécessité. Il gisait près du Bandiat, à l'endroit même où il avait rencontré son destin. C'était une sépulture hâtive, creusée dans la terre fraîche, sous le regard inquiet de ceux qui avaient survécu à ce jour de violence. Pourtant, cet acte, bien que simple, portait déjà en lui les germes d'une histoire plus complexe.

Le jour de l'inhumation, une petite troupe de villageois, dirigée par Simon Masfranc et Étienne le forgeron, s'était rendue sur les rives du Bandiat. La tension était palpable. Les événements récents avaient laissé des marques indélébiles, et l'idée de manipuler le corps de

Vaucocour, cet homme qui avait causé tant de souffrance, n'était pas sans réveiller des émotions conflictuelles.

— « Il ne mérite pas plus qu'une fosse commune, » avait murmuré un jeune homme, encore tremblant des affrontements de la veille. — « Peut-être, » répondit Étienne avec gravité, « mais nous ne sommes pas des bêtes. Nous devons l'enterrer, non pour lui, mais pour nous. »

Ils creusèrent dans un silence pesant, chaque pelletée de terre semblant résonner comme un écho des batailles passées. Lorsque le trou fut suffisamment profond, ils descendirent le corps dans la terre, enveloppé dans un drap simple. Personne ne prononça de mots de prière. Pour eux, ce n'était pas un acte de réconciliation, mais un geste d'humanité minimale.

Malgré l'inhumation, une inquiétude s'installa dans le village. Le corps de Vaucocour, même enfoui dans la terre, semblait continuer à exercer une influence néfaste. Certains habitants rapportèrent des cauchemars où ils le voyaient se relever de sa tombe, les yeux brûlant de colère. D'autres prétendaient que la nuit, près du Bandiat, on pouvait entendre des murmures indistincts, comme des voix venues d'un autre monde.

Ces récits, bien que variés et souvent exagérés, partageaient un point commun : personne ne se sentait vraiment libéré de l'ombre de François de Vaucocour. Sa présence, bien que désormais physique sous la terre, restait spirituellement oppressante.

La situation changea radicalement quelques semaines plus tard, lorsqu'un messager arriva de Thiviers, porteur d'une missive scellée par les armoiries des Vaucocour. Gaston de Vaucocour, frère cadet du défunt capitaine, exigeait que le corps de son frère soit transféré dans le tombeau familial de l'église Saint-Laurent à Thiviers. La lettre, rédigée avec une froideur formelle, rappelait aux habitants d'Abjat leur place dans l'ordre féodal.

— « Vous avez profité de la mort de mon frère pour souiller le nom de notre famille. Il est temps de réparer cet affront. »

La décision de Gaston ne laissait aucun doute : l'exhumation aurait lieu, et le corps de François retrouverait sa place parmi ses ancêtres.

Pour les villageois, cette nouvelle fut reçue avec un mélange de soulagement et de défiance. Certains voyaient dans cette exhumation une opportunité de se débarrasser définitivement de la malédiction qui pesait sur eux. D'autres, cependant, redoutaient que ce transfert ne ravive les tensions et n'attire l'attention des autorités royales sur Abjat.

Le jour venu, une petite délégation venue de Thiviers arriva à Abjat. Gaston de Vaucocour n'avait pas jugé nécessaire de se déplacer lui-même, mais il avait envoyé deux hommes d'armes et un prêtre pour superviser l'exhumation. Ces hommes, bien que respectueux dans leur démarche, portaient avec eux une aura d'autorité qui rappelait aux villageois leur soumission au pouvoir seigneurial.

Claire, observait la scène à distance. Elle se tenait près du Bandiat, son regard fixé sur la fosse que les hommes s'étaient mis à creuser. Le fracas des pelles dans la terre semblait briser le silence de cette journée froide, chaque coup résonnant comme un rappel des événements passés.

Lorsque le corps fut remonté à la surface, il semblait étrangement intact, comme si le temps n'avait pas encore commencé à le réclamer. Cette vision troubla les villageois, renforçant leur conviction que François de Vaucocour n'était pas un homme ordinaire. Le prêtre murmura une prière rapide, traçant un signe de croix sur le corps avant qu'il ne soit placé dans un cercueil de bois, prêt pour son dernier voyage.

Le chemin vers Thiviers fut long et empreint d'une étrange atmosphère. Le cortège, composé des hommes de Thiviers, avançait lentement sur les routes sinueuses du Périgord. Chaque étape semblait être marquée par une lourdeur, comme si le corps de Vaucocour portait encore avec lui le poids des actes qu'il avait commis.

À mesure qu'ils approchaient de Thiviers, la vue de la chapelle Saint-Laurent se dessina à l'horizon. Cette église, imposante dans sa simplicité, abritait depuis des générations les tombes des Vaucocour. C'était un lieu chargé d'histoire, où chaque pierre semblait raconter un fragment du passé de cette famille.

L'inhumation à Thiviers fut bien différente de celle à Abjat. Là où le premier enterrement avait été marqué par la précipitation et l'absence de cérémonie, celui-ci fut solennel et empreint de la gravité que Gaston de Vaucocour voulait pour son frère. Le prêtre prononça des prières longues et formelles, appelant à la rédemption de l'âme de François. Les membres de la noblesse locale, bien que peu nombreux, étaient présents pour témoigner.

Claire, bien qu'elle ne fût pas présente, sentit le poids de cet événement depuis Abjat. Elle savait que ce transfert ne marquait pas seulement la fin physique de François de Vaucocour, mais aussi la fin symbolique de son emprise sur le village. Le Bandiat, témoin silencieux de tant de drames, semblait plus calme ce jour-là, comme si même la rivière acceptait enfin de tourner la page.

Lorsque la nouvelle du transfert définitif de François de Vaucocour parvint à Abjat, le village sembla respirer plus librement. Bien que son corps fût parti, les blessures laissées par ses actes mettraient encore des années à guérir. Mais, pour la première fois depuis longtemps, les habitants sentirent qu'ils pouvaient avancer, que le fantôme de leur passé ne les hanterait plus de la même manière.

Pour Claire, qui avait été l'une des principales figures marquées par cette tragédie, ce fut une étape importante dans son propre processus de guérison. Elle continua à se rendre au pont de la Charelle, non plus avec un sentiment de peur ou de colère, mais avec une paix nouvelle, comme si l'âme de François avait finalement trouvé un repos qu'elle ne pensait pas possible.

La dépouille de François de Vaucocour, désormais enterrée parmi ses ancêtres, continua de hanter les récits et les mémoires. À Thiviers, il fut évoqué comme un capitaine courageux et dévoué, mort dans l'exercice de son devoir. À Abjat, son nom resta celui d'un homme arrogant, dont les actes avaient brisé des vies et déchiré une communauté. Pourtant, dans les récits des générations futures, ces deux vérités coexistaient, reflétant la complexité de son héritage.

Chapitre 16 : Devant la cour de Nérac

Le printemps de 1641, malgré ses couleurs chatoyantes et ses promesses de renouveau, n'apportait à Abjat qu'une atmosphère pesante et sombre. Les champs, encore humides de la rosée matinale, semblaient pleurer la tragédie imminente. Le vent soufflait doucement sur les collines, transportant avec lui les murmures d'un avenir incertain.

Ce fut sous ce ciel hésitant que les villageois d'Abjat prirent la route pour Nérac, convoqués à comparaître devant la justice royale. On avait insisté pour que les chefs du village, ainsi que les principaux accusés, se rendent en personne à la cour, où leur sort serait décidé. L'ordre avait été clair : toute tentative de fuite ou de résistance entraînerait des représailles immédiates contre leurs familles et leurs terres.

Au matin de leur départ, les rues d'Abjat étaient bordées de silhouettes silencieuses. Les femmes, les enfants et les anciens s'étaient massés devant l'église, leurs visages marqués par l'inquiétude et la résignation. Simon Masfranc, l'homme qui avait tiré le coup fatal sur François de Vaucocour, marchait en tête du groupe. Ses traits étaient tirés, mais son regard était ferme. Il savait qu'il était le centre de cette tragédie, celui qui porterait le poids des accusations les plus graves.

Derrière lui, d'autres figures notables du village avançaient à pas lourds. Étienne, le forgeron aux épaules larges, et Guillaume, l'instituteur, avaient été désignés pour représenter les voix du village. Ces hommes étaient les piliers de leur communauté, respectés et aimés, mais, aujourd'hui, ils semblaient écrasés par le fardeau qu'on leur imposait.

Claire, toujours enveloppée dans le « moutchadou » noir des veuves, se tenait près de l'église, immobile comme une statue. Ses yeux suivaient Simon et les autres, mais son esprit était ailleurs. Elle savait qu'ils allaient affronter non seulement la justice royale, mais aussi la colère calculée de Gaston de Vaucocour, et elle craignait que le village ne survive pas à cette épreuve.

Les derniers adieux furent brefs. Les hommes partirent sous la garde de deux sergents royaux, leur escorte sobre, mais suffisamment menaçante pour décourager toute tentative de résistance. Le claquement des bottes sur les pavés résonnait comme un glas dans les cœurs des habitants restés derrière.

La route vers Nérac, bien que bordée de paysages verdoyants, fut pour les accusés une traversée des limbes. Chaque pas semblait les rapprocher un peu plus de leur destin, et l'ambiance était lourde de silence. Les conversations étaient rares, réduites à des murmures entrecoupés par le bruit des roues des chariots qui transportaient les provisions et les armes de leurs gardiens.

Simon, d'ordinaire bavard, resta mutique pendant une grande partie du voyage. Ses pensées étaient tournées vers son frère Étienne, tombé lors de la bataille sur le pont de la Charelle, et vers les visages de ceux qu'il avait laissés derrière lui. Bien qu'il n'exprimât aucun regret pour son acte, il se demandait si son geste, aussi noble fût-il, ne causerait pas la ruine de tout un village.

Guillaume, l'instituteur, tenta de briser le silence en entonnant un vieux chant paysan. Sa voix, bien que faible, rappela à tous l'esprit d'unité qui les avait poussés à se battre contre Vaucocour. Peu à peu, d'autres voix se joignirent à la sienne, et un refrain mélancolique s'éleva dans l'air, flottant au-dessus des champs et des bois. Ce chant, murmure d'un peuple en quête de justice, résonnait comme un défi lancé à l'injustice qui les attendait.

Lorsque les villageois arrivèrent enfin à Nérac, la vue de la ville imposante accentua leur sentiment d'effroi. Dominée par son château et traversée par des rues étroites où s'entassaient les maisons en pierre, Nérac dégageait une aura de pouvoir et d'autorité. Les habitants de la ville, habitués aux cortèges de prisonniers et aux affaires judiciaires, observaient les villageois avec un mélange de curiosité et de mépris.

Les sergents royaux les conduisirent directement à la salle du tribunal, une pièce austère aux murs de pierre nue. Les bancs étaient disposés en demi-cercle, et au centre se trouvait une estrade surélevée où siégeait le juge, Étienne Soullé de Prunevant, un homme connu pour sa sévérité et son attachement inébranlable à l'ordre royal.

Gaston de Vaucocour, vêtu de noir, était déjà là, son regard fixé sur Simon avec une intensité glaciale. À ses côtés, plusieurs nobles de la région, alliés de la famille Vaucocour, attendaient avec impatience le début du procès. Pour eux, ce moment n'était pas seulement une question de justice, mais une occasion de rappeler aux paysans qu'ils étaient les maîtres incontestés de ces terres.

La salle était comble. Des témoins, des curieux et des familles des accusés s'étaient rassemblés, formant une masse silencieuse, leurs murmures étouffés par la tension ambiante. Simon et les autres furent conduits à l'avant, leurs mains libres, mais leur posture surveillée de près par les sergents.

Le juge entra, son marteau en bois frappant une fois la table pour réclamer le silence. Soullé de Prunevant, un homme au visage sec et creusé par les années, observa les accusés avec une expression de neutralité glaciale. Il ouvrit un registre, et sa voix, grave et autoritaire, s'éleva dans la salle.

— « Habitants d'Abjat, vous êtes ici pour répondre des crimes de rébellion, d'insubordination, et de meurtre d'un officier royal, le capitaine François de Vaucocour. »

Ces mots résonnèrent dans la salle comme un couperet. Simon releva légèrement la tête, son regard croisant celui de Gaston. Il savait qu'il était le principal accusé, mais il ne montra aucun signe de faiblesse.

Le procès débuta avec les témoignages des survivants de la troupe de François. Les soldats, bien que peu nombreux, décrivirent les événements avec une précision calculée pour diaboliser les villageois. L'un d'eux, un homme au visage balafré, pointa Simon du doigt.

— « Cet homme a tiré sur notre capitaine, » déclara-t-il, sa voix emplie de rancune. « Il n'a montré aucune hésitation. C'était un acte prémédité. »

Simon resta silencieux, mais son poing se serra légèrement. Guillaume tenta de prendre la parole pour défendre son camarade, mais il fut rapidement interrompu par un coup de marteau du juge.

Les nobles, invités à donner leur avis, ne manquèrent pas d'en rajouter. Gaston, avec une éloquence froide, dressa un portrait de François comme un serviteur dévoué de la couronne, mort dans l'exercice de ses fonctions.

— « Mon frère n'a jamais cherché la violence, » déclara Gaston, la voix, tremblant, légèrement. « Il a été assassiné de sang-froid, par des hommes qui n'ont aucune idée de ce que signifie l'honneur. »

Les villageois d'Abjat ne bénéficièrent pas du même privilège. Chaque tentative de défendre leurs actions ou d'expliquer les circonstances fut soit interrompue, soit déformée par le tribunal. Lorsqu'Étienne, le forgeron, tenta de parler du comportement tyrannique de François et de la menace qu'il représentait pour le

village, le juge leva une main pour l'arrêter. — « Ce n'est pas votre place de juger les actions d'un capitaine royal.
Ce tribunal existe pour juger les vôtres. »

Simon, enfin autorisé à parler, se leva. Son regard balaya la salle, s'attardant un instant sur les visages de ses camarades avant de se poser sur celui du juge.
— « J'ai tiré sur François de Vaucocour, » dit-il, sa voix claire et ferme. « Je ne le nie pas. Mais je l'ai fait pour protéger mon village, ma famille, et tout ce que nous avons de précieux. Si c'était à refaire, je referais le même choix. »

Sa déclaration provoqua un murmure dans la salle, mais le visage du juge resta impassible.

Alors que la journée s'achevait, les villageois furent renvoyés dans une cellule froide pour attendre la suite. La nuit tombait sur Nérac, et dans les ombres du château, les esprits s'agitaient.

Chapitre 17 : Les Geôles de Nérac

Le château de Nérac, perché fièrement au bord de la Baïse, était une forteresse où l'histoire semblait s'accrocher à chaque pierre. Ses murs avaient vu passer des rois, des intrigues, et des batailles. Mais en contrebas, loin des grandes salles baignées de lumière, se trouvait un autre monde : les geôles de Nérac, un labyrinthe de pierre et de silence où les rumeurs de révolte s'éteignaient sous le poids de la peur.

On accédait aux geôles par une porte basse, dissimulée dans un coin du château. Cette porte, renforcée de fer et marquée par des siècles d'usure, s'ouvrait sur un escalier en spirale qui semblait s'enfoncer dans les entrailles de la Terre. Les marches, usées par le passage des gardes et des prisonniers, étaient couvertes de mousse glissante. L'air devenait plus lourd à chaque pas, chargé d'une odeur âcre de moisissure, de sueur et de désespoir.

Les torches fixées aux murs éclairaient à peine le passage, projetant des ombres vacillantes qui dansaient sur la pierre brute. Chaque pas résonnait dans le silence oppressant, comme si le château luimême enregistrait le poids des âmes qu'il enfermait.

Les geôles formaient un réseau de couloirs étroits et tortueux, semblables à des veines sinistres au cœur du château. Les cellules étaient petites, presque des niches creusées dans la pierre. Chacune était fermée par une grille en fer rouillé, aux barreaux épais, parfois tordus par le temps.

À l'intérieur des cellules, l'espace était minimaliste, réduit à une couche de paille humide posée à même le sol. Les murs dégoulinaient d'humidité, et des gouttes d'eau s'échappaient parfois des voûtes audessus, tombant dans des flaques stagnantes qui reflétaient faiblement la lumière. Une petite ouverture ronde, à hauteur d'épaule, servait à glisser des gamelles contenant une bouillie insipide, le seul repas quotidien des prisonniers.

Dans certains couloirs, des fosses avaient été aménagées pour accueillir les condamnés que l'on voulait oublier. Ces fosses, parfois appelées « oubliettes », étaient de véritables tombes où les prisonniers étaient jetés sans lumière ni contact humain.

Les geôles n'étaient pas seulement un lieu d'emprisonnement ; elles étaient un outil psychologique. L'obscurité quasi permanente, le froid mordant et l'isolement imposé rendaient chaque instant plus insupportable que le précédent. Les bruits étaient amplifiés dans cet espace confiné : le craquement des bottes des gardes, le cliquetis des clés, le grattement des rats qui couraient sur les dalles, cherchant des restes de nourriture.

Les cris des prisonniers, parfois lointains, parfois proches, se répercutaient dans les couloirs. Certains murmuraient des prières à voix basse, d'autres pleuraient ou chantaient pour tromper leur solitude. Mais ces échos étaient vite étouffés par le poids du lieu, comme si les murs absorbaient toute forme de rébellion ou d'espoir.

Le temps semblait suspendu. Sans lumière naturelle, il était impossible de distinguer le jour de la nuit. Les prisonniers perdaient rapidement la notion du temps, sombrant dans un état d'apathie ou de folie. Les geôliers eux-mêmes, bien que moins affectés, évitaient de rester trop longtemps dans ces profondeurs, comme s'ils craignaient que l'ombre ne les atteigne.

Au bout d'un des couloirs principaux se trouvait une salle que les prisonniers redoutaient plus que les cellules elles-mêmes : la salle d'interrogatoire. Une grande porte de chêne, ornée de ferronneries complexes, marquait l'entrée de cet espace sinistre. À l'intérieur, la pièce était faiblement éclairée par des torches. Une table massive occupait le centre, entourée de chaises aux dossiers droits. Des chaînes pendaient des murs, rouillées mais solides, prêtes à maintenir un prisonnier récalcitrant. Des outils divers, allant de simples pinces à des instruments plus élaborés, étaient alignés sur une étagère, témoignant des méthodes employées pour briser les volontés. L'atmosphère y était glaciale, même en plein été, comme si les murs avaient absorbé les hurlements et les confessions arrachées de force. Cette salle n'était pas seulement un lieu de souffrance physique ; elle était conçue pour terroriser. Chaque prisonnier qui y entrait savait qu'il ne ressortirait pas indemne.

Les gardes de Nérac, triés sur le volet, étaient des hommes endurcis. Leur travail consistait à maintenir l'ordre dans les geôles, mais aussi à exécuter les interrogatoires ou à conduire les prisonniers à leur jugement. La plupart étaient indifférents à la souffrance qu'ils voyaient, mais certains trouvaient un sombre plaisir dans leur rôle.

Les prisonniers, quant à eux, formaient une mosaïque d'histoires tragiques. Certains étaient des rebelles convaincus, d'autres de simples paysans arrêtés pour avoir parlé trop fort. Mais une fois enfermés dans les geôles, toutes les distinctions disparaissaient. Ils étaient réduits à leur souffrance, à leur survie.

Sur l'un des murs d'une cellule, des inscriptions griffonnées témoignaient des pensées d'un ancien prisonnier. Des mots simples, gravés avec un morceau de métal, racontaient une lutte intérieure :

« Je suis ici, mais mon esprit est libre. »

Ces mots, bien que anodins, avaient un effet puissant sur les nouveaux captifs. Ils rappelaient que, même dans les pires conditions, la liberté intérieure était une arme contre la tyrannie.

Le silence, omniprésent, était peut-être l'élément le plus oppressant des geôles de Nérac. C'était un silence vivant, fait de non-dits, de souvenirs de cris étouffés, et de prières murmurées dans l'obscurité. Ce silence pesait sur les épaules des prisonniers comme une couverture glacée, leur rappelant qu'ils étaient seuls, oubliés du monde extérieur.

Ce silence n'était rompu que par les tintements lointains des cloches du château, rappelant aux captifs qu'au-dessus d'eux, la vie continuait, insensible à leur souffrance.

Les geôles de Nérac n'étaient pas seulement un lieu d'enfermement physique. Elles étaient un piège psychologique, un espace conçu pour dévorer l'esprit des hommes. Les rares qui en sortaient portaient en eux les stigmates de leur séjour, incapables d'oublier les murs oppressants, les voix des autres prisonniers, et le poids du silence.

Pour ceux qui y restaient, les geôles devenaient leur monde entier, un monde où chaque souffle, chaque pensée, chaque instant était un combat contre l'oubli.

Chapitre 18 : Le jugement

La nuit tombait sur Nérac, enveloppant la ville dans une obscurité chargée d'angoisse. Les lanternes vacillantes dans les ruelles projetaient des ombres sur les murs de pierre, tandis que, dans les profondeurs du château, les villageois d'Abjat attendaient, enfermés dans une cellule froide et humide. Le silence n'était brisé que par les gouttes d'eau qui tombaient régulièrement d'une voûte fissurée, résonnant comme un compte à rebours sinistre.

Simon Masfranc, assis contre un mur, scrutait le plafond, son visage marqué par la fatigue. Près de lui, Étienne et Guillaume échangeaient des regards lourds de sens, cherchant dans les expressions de l'autre un fragment de réconfort. Le procès avait été tout sauf équitable, et chacun d'eux savait que le verdict, déjà écrit, ne leur laisserait que peu de chances. Pourtant, aucun d'eux ne regrettait ce qu'ils avaient fait. Leur village méritait de vivre, et si leur sacrifice pouvait garantir cet avenir, ils étaient prêts à l'accepter.

Alors que la nuit avançait, Simon se tourna vers Guillaume, qui tenait dans ses mains tremblantes un rosaire usé.

— « Que penses-tu qu'ils feront de nous ? » demanda Simon, brisant le silence.

Guillaume ferma les yeux un instant, comme s'il cherchait une réponse dans ses prières.

— « Ils voudront faire un exemple, » répondit-il d'une voix grave. « Mais je ne crois pas qu'ils détruiront le village. Ils ne veulent pas seulement punir ; ils veulent effrayer les autres. »

Étienne, assis non loin, secoua la tête avec amertume.

— « Nous sommes devenus des symboles, malgré nous. Des paysans qui osent tenir tête à un capitaine du roi… Ils ne peuvent pas laisser cela impuni. »

Simon serra les poings, son regard brûlant de défi.

— « Alors qu'ils viennent, » murmura-t-il. « Qu'ils fassent de moi ce qu'ils veulent. Mais ils ne prendront pas l'honneur d'Abjat. »

Ces mots, bien que simples, résonnèrent dans la cellule. Ils leur rappelèrent pourquoi ils étaient là, pourquoi ils s'étaient battus. L'atmosphère s'alourdit d'une étrange sérénité, un mélange d'acceptation et de fierté.

Le lendemain matin, alors que l'aube peinait à percer les nuages lourds, les villageois furent conduits de nouveau dans la grande salle du tribunal. Les bancs étaient encore plus remplis que la veille, l'annonce du verdict ayant attiré des spectateurs venus de toute la région. Les nobles, vêtus de leurs plus beaux atours, étaient assis sur les gradins surélevés, leurs visages marqués par un mélange d'excitation et de mépris.

Gaston de Vaucocour, sombre et imposant, se tenait debout près du juge Étienne Soullé de Prunevant, dont la présence austère dominait la salle. Gaston avait passé la nuit à échafauder ses derniers arguments, s'assurant que chaque mot qu'il prononcerait serait une lame bien aiguisée.

Le juge frappa du marteau, et un silence lourd s'abattit sur la salle.

— « Accusés, avancez, » ordonna-t-il.

Simon, Étienne et Guillaume s'avancèrent lentement, leurs chaînes cliquetant à chaque pas. Leur dignité, cependant, était intacte. Ils se tinrent droits, leurs regards fixés sur le juge.

Le procès reprit avec les plaidoiries finales. Gaston de Vaucocour fut le premier à parler, son ton empreint d'une froideur calculée. — « Votre Honneur, ces hommes sont coupables d'un crime odieux : le meurtre d'un serviteur du roi, mon frère François de Vaucocour. Ils ont agi non par nécessité, mais par insubordination et mépris des lois du royaume. Si nous tolérons cela, nous ouvrons la porte à d'autres rébellions. Le sang versé hier pourrait devenir une rivière demain. »

Son regard se posa un instant sur Simon, un sourire froid effleurant ses lèvres.

— « Ils disent avoir agi pour protéger leur village, mais leurs actions ont mis en péril l'ordre même qui garantit leur sécurité. Ils ne méritent ni clémence, ni pitié. »

Lorsque Gaston se rassit, un murmure parcourut la salle. Ses paroles, bien qu'implacables, avaient captivé l'audience. Le poids de son discours pesait lourdement sur les épaules des accusés.

Guillaume s'avança alors, prenant la parole au nom des villageois. Bien que son corps tremblât légèrement, sa voix était claire et forte.

— « Votre Honneur, nous n'avons jamais cherché à défier la couronne. Nous sommes des paysans, des hommes et des femmes qui travaillent la terre pour survivre. Mais François de Vaucocour n'a pas respecté ces terres, ni ceux qui y vivent. Il voulait nous voler plus que nos récoltes ; il voulait notre dignité, notre âme. Ce que nous avons fait, nous l'avons fait pour vivre libres. »

Ces mots provoquèrent une réaction partagée dans la salle. Certains spectateurs hochèrent la tête en silence, compatissant avec les villageois. D'autres, principalement des nobles, laissèrent échapper des rires méprisants.

Après une délibération qui sembla durer une éternité, le juge frappa de nouveau du marteau pour réclamer l'attention. La salle se tut, chaque souffle suspendu dans l'attente.

— « Simon Masfranc, Étienne le forgeron, Guillaume l'instituteur, et les habitants d'Abjat. Vous êtes reconnus coupables des crimes de rébellion, d'insubordination, et du meurtre d'un capitaine royal. » Le silence se fit encore plus lourd. Le juge poursuivit : — « Simon Masfranc, vous serez rompu et brisé vif, votre corps exposé en place publique. Étienne et Guillaume, vous serez condamnés aux galères pour une durée de trois ans. Quant aux habitants d'Abjat, vous êtes collectivement condamnés à payer une somme de 15 000 livres à la couronne, et vos foires et marchés sont officiellement supprimés. »

Un cri étouffé s'éleva dans la salle. Les villageois, assis sur les bancs, se regardèrent, le cœur brisé. Simon ferma les yeux, laissant un soupir s'échapper. Il avait anticipé sa sentence, mais la dureté du verdict dépassait tout ce qu'il avait imaginé.

Le juge continua, impassible.

— « Les cloches de l'église d'Abjat seront confisquées et redistribuées. Que ce jugement serve d'exemple à tous. La loi du roi est absolue. »

Après l'énoncé du verdict, les accusés furent ramenés à leur cellule. Les spectateurs quittèrent la salle dans un brouhaha de murmures et de discussions. Gaston, satisfait, quitta le tribunal sans un regard pour les hommes qu'il venait de condamner. Pour lui, la justice avait été rendue.

Dans leur cellule, Simon regarda ses camarades, un sourire triste sur les lèvres.

— « Ils pensent nous avoir brisés, » murmura-t-il. « Mais tant que le village survit, ils ne nous auront pas. »

Étienne hocha la tête, bien que des larmes coulassent sur ses joues. Guillaume, le regard fixé sur le sol, murmura une prière.

Dehors, la pluie commença à tomber doucement, comme si le ciel lui-même pleurait le sort des hommes d'Abjat.

Chapitre 19 : Le prix du sacrifice

Le jour de l'exécution arriva, enveloppé dans un ciel de plomb qui semblait partager le deuil des habitants d'Abjat. Nérac, d'ordinaire animée par ses marchés et ses allées bruyantes, était, ce matinlà, plongée dans un silence glaçant. Les rues, bordées de visages graves, convergèrent lentement vers la place principale, où les sentences des villageois allaient être exécutées.

Une estrade avait été érigée en plein cœur de la place. Sur cette structure sommaire trônait une roue imposante, outil de torture qui allait sceller le destin de Simon Masfranc. À ses côtés, deux chaînes pendaient des poteaux, réservées à Étienne et Guillaume, qui seraient bientôt emmenés aux galères. Les cloches de l'église d'Abjat, bientôt confisquées et transportées, sonnaient leur glas, marquant l'imminence de ces actes funestes.

Sous bonne escorte, Simon, Étienne et Guillaume furent extraits de leur cellule et conduits à travers la ville. Leurs mains liées, leurs vêtements simples tachés par les jours passés en prison, ils avancèrent en silence, leurs visages résolus malgré la peur qui grondait en eux. Des villageois d'Abjat, venus en grand nombre malgré les menaces, se tenaient dans la foule. Parmi eux, Claire, enveloppée dans son « moutchadou » noir, les suivait des yeux, ses mains tremblant de rage et de tristesse.

Simon, bien qu'il connût la nature horrible de sa sentence, gardait la tête haute. Il croisa le regard de Claire et lui adressa un sourire faible, mais sincère, comme pour lui rappeler que son sacrifice n'était pas vain. Guillaume murmurait une prière à voix basse, ses lèvres bougeant sans cesse. Étienne, le forgeron, serrait les mâchoires, sa colère contenue prête à éclater à tout moment.

La foule était immense. Nobles, bourgeois et paysans s'étaient rassemblés pour assister à cet acte de justice royale. Les murmures, mélange de curiosité morbide et de compassion, s'élevaient comme un brouillard dans l'air lourd.

Lorsque le cortège atteignit l'estrade, Simon fut conduit au centre, face à la roue imposante. Le bourreau, un homme massif au visage impassible, se tenait à ses côtés, ses mains déjà tachées de sang par d'autres condamnés. Simon, bien que les chaînes qui entravaient ses poignets l'empêchaient de se mouvoir librement, se tourna vers la foule et parla d'une voix forte :
— « Je ne regrette rien. Je suis mortel, mais Abjat vivra. Souvenezvous de cela. »

Ces paroles, bien qu'adressées à tous, semblèrent trouver un écho particulier dans le cœur des villageois. Claire serra les poings, son corps tremblant de rage contenue. Elle voulait hurler, se jeter sur l'estrade, mais elle savait que son acte ne ferait qu'ajouter au drame.

Simon fut attaché à la roue, ses bras et ses jambes écartés. Le bourreau leva une lourde barre de fer et la fit retomber avec une force brutale sur ses membres. Le craquement des os brisés résonna dans toute la place, arrachant un cri de douleur à Simon. Pourtant, il ne supplia pas, ne demanda aucune clémence. Son regard, bien que déformé par la douleur, restait fixé sur l'horizon, comme s'il voyait audelà de ce moment de souffrance.

Le supplice dura une éternité. La foule, fascinée et horrifiée, observait dans un silence morbide. Enfin, lorsque le dernier coup retentit, le bourreau s'arrêta, laissant Simon pendu, inerte, son corps brisé, mais son esprit invaincu.

Étienne et Guillaume furent conduits à leur tour. Contrairement à

Simon, leur sentence n'était pas la mort, mais elle n'était pas moins cruelle. Ils furent enchaînés aux poteaux dressés sur l'estrade, tandis qu'un officier lisait à haute voix les termes de leur condamnation : trois ans aux galères, une vie d'esclavage sur les navires du roi.

Les chaînes qui leur furent attachées étaient lourdes, non seulement par leur poids physique, mais par le symbolisme qu'elles portaient. Étienne, le forgeron, lutta pour garder sa colère contenue, mais ses yeux lançaient des éclairs. Guillaume, l'instituteur, murmurait encore des prières, cherchant une force divine pour affronter ce qui les attendait.

La foule, bien que captivée, ne pouvait s'empêcher de murmurer. Même les nobles semblaient troublés par l'intensité des peines. Les villageois, quant à eux, ne faisaient aucun bruit. Leur deuil était silencieux, mais leur regard reflétait une promesse : celle de ne jamais oublier.

Alors que les corps brisés de Simon et les prisonniers enchaînés des galères quittaient l'estrade, une nouvelle scène se déroula sur la place d'Abjat. Les cloches de l'église, ces symboles de leur communauté, furent descendues une à une sous la supervision des soldats royaux.

Ces cloches, qui avaient rythmé les moments de joie et de peine du village, étaient emportées comme un butin. L'une fut hissée sur une charrette destinée à l'église de Thiviers, tandis que les autres prendraient la route de Limoges. Pour les habitants d'Abjat, cette confiscation était une mutilation symbolique. Ils perdaient non seulement un morceau de leur histoire, mais aussi une voix qui leur appartenait.

Claire, debout parmi les villageois, sentit une rage sourde monter en elle. C'était la dernière humiliation, un acte qui signifiait que même leur foi pouvait leur être arrachée. Mais elle ne laissa pas cette colère exploser. Pas ici, pas maintenant.

Lorsque les villageois revinrent à Abjat, ce fut sous un ciel chargé, comme si la terre elle-même pleurait pour Simon, Étienne, Guillaume, et pour tous ceux qui avaient sacrifié une partie d'euxmêmes. Le village, privé de ses cloches, semblait étrangement silencieux. Les maisons de pierres, les champs, même le cours du Bandiat, tout semblait marqué par l'absence.

Claire, désormais seule face à ce vide, se rendit à l'église, où l'absence des cloches résonnait plus fort que leur son. Elle s'agenouilla devant l'autel, tenant entre ses mains le morceau de tissu ensanglanté qu'elle avait récupéré des vêtements de Simon. Elle pleura en silence, ses larmes tombant sur les pierres froides.

Chapitre 20 : La Pyramide du jugement

L'église Saint-Jean se dressait, sombre et silencieuse, au cœur d'Abjat. Mais à quelques pas de là, une structure imposante, étrange et austère, avait commencé à attirer les regards et à marquer les esprits : une pyramide de pierre, érigée après le jugement de 1641. Cette construction, ordonnée par la couronne comme un mémorial de soumission et un avertissement aux révoltes futures, s'était imposée dans le paysage du village comme un témoin muet des tragédies passées.

L'idée de la pyramide avait été imposée dans les mois qui avaient suivi le jugement. Les magistrats de Nérac, dans leur volonté de s'assurer que les leçons de la rébellion ne seraient jamais oubliées, avaient ordonné aux habitants de construire cette structure. Chaque pierre devait être posée par des mains villageoises, chaque goutte de sueur devait rappeler la punition de leurs « crimes ». Et au sommet, une plaque de bronze gravée porterait les mots :

« Ici se dresse l'obéissance. Que les cloches du roi résonnent, et non celles de la révolte. »

Les habitants, humiliés et brisés, n'avaient eu d'autre choix que d'obéir. La pyramide, bien que petite comparée aux monuments royaux des grandes villes, dominait les lieux par sa symbolique écrasante. Elle était à la fois un instrument de contrôle et une plaie béante dans le cœur de ceux qui avaient tout perdu.

La construction de la pyramide dura des mois. Chaque famille fut contrainte d'y participer, offrant des journées entières de travail pour collecter les pierres des carrières environnantes, les tailler et les poser. Ces travaux, réalisés sous la surveillance constante de soldats royaux, furent une épreuve de plus pour les habitants d'Abjat.

Guillaume, alors en galère, n'avait pas été présent, mais il entendit plus tard les récits des vieillards et des femmes qui avaient dû prendre la place des hommes envoyés en captivité. Claire se souvenait du poids des pierres et de la douleur dans ses bras. Étienne, le forgeron, avait travaillé jusqu'à l'épuisement, martelant les blocs de pierre pour leur donner la forme voulue. Et au milieu des gémissements de fatigue, des soldats ricanaient, rappelant à chaque instant le prix de la désobéissance.

__ « Ils disaient que c'était pour notre bien, » raconta plus tard une vieille femme. « Mais cette pyramide n'a jamais été autre chose qu'un monument à notre humiliation. »

Lorsque la dernière pierre fut posée et que la plaque de bronze fut scellée au sommet, les villageois se tinrent en silence devant la structure. Personne n'applaudit, personne ne se réjouit. La pyramide n'était pas un symbole de fierté, mais un tombeau symbolique pour leur espoir.

Les années passèrent, mais la pyramide resta. Elle devint un point de repère inévitable, visible depuis presque tous les coins du village. Les enfants la regardaient avec une curiosité mêlée de crainte, tandis que les anciens détournaient les yeux. Elle était un rappel constant de leurs pertes : les cloches disparues, les vies brisées, les esprits éteints.

Certains soirs, des habitants affirmaient entendre des murmures autour de la pyramide, des voix indistinctes qui semblaient venir des pierres elles-mêmes. Était-ce le vent ? Les âmes des disparus ? Ou simplement les échos des souvenirs que personne ne voulait affronter ? Le mystère ajouta une aura inquiétante à la structure.

Avec le temps, des tensions émergèrent autour de la pyramide. Certains habitants, menés par Étienne, demandaient qu'elle soit détruite.

__ « Cette chose n'a rien à faire ici, » disait-il souvent. « Elle nous écrase. Elle nous réduit à ce que les magistrats voulaient que nous soyons : des coupables éternels. »

Mais d'autres, comme Guillaume, voyaient les choses différemment.

__ « La pyramide n'est pas qu'un symbole de notre soumission, » argumentait-il. « Elle est aussi un rappel de ce que nous avons traversé.

Si nous l'effaçons, comment les générations futures comprendrontelles ce que nous avons vécu ? »

Ces débats se tenaient souvent lors des assemblées du village. Les arguments étaient vifs, les émotions à fleur de peau. Claire, fidèle à elle-même, restait en retrait, mais elle partageait en silence le sentiment de Guillaume. La pyramide, aussi douloureuse soit-elle, faisait désormais partie de leur histoire.

Avec le temps, la pyramide devint une source d'histoires pour les enfants du village. Certains la voyaient comme un monument maudit, construit sur les ossements de ceux qui étaient morts au pont de la Charelle. D'autres y voyaient une force protectrice, une structure qui avait absorbé la douleur des villageois pour leur permettre de continuer à vivre.

Un jour, un garçon du village trouva un oiseau blessé près de la pyramide. Il l'amena à Claire, qui le soigna jusqu'à ce qu'il puisse reprendre son envol. Ce simple événement donna naissance à une légende : l'idée que la pyramide, bien qu'austère, était une gardienne silencieuse, veillant sur Abjat. Ces récits, bien qu'inventés, apportèrent une nouvelle perspective sur la structure, mêlant peur et fascination.

Des années après son édification, une idée émergea parmi les habitants. Pourquoi ne pas ajouter à la pyramide leurs propres mots, leur propre mémoire ? Si les magistrats de Nérac avaient imposé une plaque, pourquoi les villageois ne pourraient-ils pas en poser une autre, portant leurs vérités ?

Ce projet fut mené par Guillaume, qui travailla des mois avec les enfants de son école pour composer un texte qui refléterait la résilience d'Abjat. Enfin, un matin d'été, une nouvelle plaque fut scellée à la base de la pyramide. Elle portait ces mots simples mais puissants :

« **Nous avons souffert, mais nous avons survécu.**
Le silence des cloches ne brisera jamais notre voix.
Ici repose notre mémoire, et ici commence notre espoir. »   La pyramide, autrefois symbole de soumission, commença à prendre une nouvelle signification. Les habitants ne la regardaient plus uniquement avec douleur, mais avec un mélange de fierté et de défi. Les étrangers qui passaient par Abjat s'arrêtaient souvent devant elle,

curieux de connaître son histoire. Et chaque fois qu'un villageois racontait les événements de 1641, il finissait par évoquer la pyramide, non pas comme une honte, mais comme un témoin.

Aujourd'hui encore, la pyramide d'Abjat demeure. Elle est un rappel de la douleur, mais aussi de la résilience. Chaque pierre porte les marques des mains qui l'ont posée, chaque mot gravé raconte une partie de l'histoire du village. Et lorsqu'on se tient devant elle, on peut presque entendre, dans le murmure du vent, les échos des cloches perdues et des voix des disparus, qui continuent de résonner dans la vallée.

Ainsi, la pyramide, à l'origine un instrument d'oppression, est devenue un symbole d'unité, un monument à la fois lourd et porteur d'espoir.

Et dans son ombre, Abjat poursuit son chemin, fier de ce qu'il a traversé et de ce qu'il a construit.

Chapitre 21 : L'écho du Saut du Chalard

Le départ des cloches d'Abjat fut un moment de déchirure pour les villageois, une scène qui restera gravée dans leurs mémoires comme une dernière humiliation infligée par la main du pouvoir royal. Sous un ciel lourd, les charrettes chargées des cloches s'ébranlèrent lentement sur les chemins pierreux, encadrées par des soldats aux visages fermés. Les habitants, regroupés devant l'église désormais silencieuse, regardaient le cortège disparaître avec un mélange de rage contenue et de tristesse infinie.

Ces cloches, qui avaient rythmé chaque moment de leur vie, des mariages aux enterrements, des appels à la prière aux avertissements d'urgence, leur étaient arrachées comme on enlève le cœur d'un corps vivant. Elles allaient désormais résonner dans d'autres églises, pour d'autres communautés, un témoignage muet de la répression qui s'abattait sur Abjat.

Les charrettes progressaient lentement sur les routes accidentées du Périgord, leurs roues grinçant sous le poids des cloches massives. Chaque cloche avait été soigneusement déposée sur un lit de paille pour amortir les secousses, mais, malgré toutes ces précautions, le voyage était périlleux.

La cloche la plus imposante, destinée à l'église de Thiviers, trônait sur la charrette de tête. Une œuvre d'art en bronze, elle portait les inscriptions gravées par les artisans d'Abjat des décennies plus tôt : des prières, des dates, et les noms de ceux qui avaient contribué à sa création. Les soldats chargés de son transport savaient qu'elle représentait un butin précieux, un symbole de l'autorité royale qui triomphait sur l'insoumission des paysans.

Le convoi avançait lentement, traversant bois et rivières, sous les regards curieux des habitants des villages croisés en chemin. Partout où passait la procession, les murmures suivaient, racontant l'histoire de la rébellion d'Abjat et du châtiment qui s'ensuivit. Certains regardaient les cloches avec admiration, d'autres avec une compassion mêlée de crainte. Mais personne n'osait intervenir.

Le trajet, bien qu'éprouvant, s'était déroulé sans incident jusqu'à ce que le convoi atteigne le Saut du Chalard, un passage redouté par les voyageurs de la région. Là, la Dronne se précipitait dans une cascade spectaculaire, creusant une gorge profonde entourée de rochers escarpés. Le rugissement de l'eau emplissait l'air, rendant la communication difficile entre les soldats et les charretiers.

Le chemin longeant la rivière était étroit et irrégulier, à peine assez large pour laisser passer les lourdes charrettes. Le sol, rendu glissant par la rosée du matin, augmentait le risque de bascule. Les soldats s'étaient arrêtés pour évaluer la situation, scrutant les courants tumultueux en contrebas.

— « Faites attention à chaque pas, » ordonna l'officier en charge, sa voix trahissant une nervosité inhabituelle. « Ces cloches doivent arriver intactes. »

Alors que le convoi reprenait lentement sa route, un craquement sinistre résonna soudain, brisant le tumulte de la cascade. Une des roues de la charrette transportant la cloche de Thiviers avait cédé sous le poids, s'enfonçant dans un trou dissimulé par les herbes hautes. La charrette bascula dangereusement sur le côté, et, malgré les efforts désespérés des soldats et des charretiers pour la stabiliser, le désastre fut inévitable.

La cloche, massive et imposante, glissa de son support. Pendant une fraction de seconde, elle sembla suspendue dans les airs, comme si elle hésitait à répondre à l'appel de la gravité. Puis, dans un fracas assourdissant, elle s'écrasa sur les rochers en contrebas avant de rouler lentement dans les eaux tumultueuses de la Dronne.

Le choc fit trembler le sol, et un silence stupéfait suivit l'écho de sa chute. Les soldats se penchèrent au bord de la gorge, regardant avec horreur la cloche disparaître dans la cascade, emportée par les courants impétueux. L'officier, livide, lança des ordres chaotiques, mais il était évident que rien ne pourrait la récupérer. La cloche était perdue.

Pour les soldats et les charretiers, la perte de la cloche fut une humiliation, un signe que le chemin vers Thiviers serait désormais marqué par cet échec. Mais pour ceux qui observaient de loin, les paysans locaux et les voyageurs de passage, cet événement prit une dimension presque surnaturelle.

On commença à murmurer que la chute de la cloche n'était pas un simple accident. Certains affirmèrent qu'elle avait été poussée par une force invisible, un esprit en colère contre le vol de cet objet sacré. D'autres y virent une manifestation divine, une punition pour le traitement infligé aux habitants d'Abjat. Ces histoires se répandirent rapidement, ajoutant une aura de mystère et de légende à l'événement.

Lorsque la nouvelle de la chute de la cloche atteignit Abjat, elle provoqua des réactions variées parmi les villageois. Certains, brisés par les événements récents, y virent un signe d'espoir, un symbole que la justice divine n'avait pas oublié leur souffrance. D'autres, plus pragmatiques, y virent simplement un accident malheureux qui ne changerait rien à leur situation.

Claire, qui passait de longues heures à prier près du Bandiat, fut l'une des premières à interpréter l'événement comme un signe. La cloche, qui portait les prières et les souvenirs de tant de générations, avait choisi de rester dans la région plutôt que de partir pour Thiviers.

Pour elle, cela signifiait que les âmes des morts, y compris celle de Jean, restaient attachées à leur terre.

Un soir, alors qu'elle se tenait près de la rivière, elle crut entendre un son étrange au loin, semblable à un tintement profond et clair. Ce son, qu'elle ne pouvait attribuer à aucune source visible, semblait s'élever des eaux elles-mêmes. Était-ce un écho de la cloche perdue, ou simplement le fruit de son imagination ? Elle ne pouvait le dire, mais cette pensée lui apporta une certaine consolation.

Au fil des semaines et des mois, l'histoire de la cloche disparue dans la Dronne se transforma en légende. Les conteurs locaux ajoutèrent des détails dramatiques, parlant de la cloche qui sonnait encore sous l'eau, chaque année, lors des Jeudis Saints. On disait que ceux qui se penchaient au bord du Saut du Chalard pouvaient entendre son chant, un son pur et mélancolique qui semblait porter les prières des âmes d'Abjat.

Alors que les années passaient, le Saut du Chalard devint un lieu de pèlerinage pour les habitants d'Abjat. Chaque printemps, ils s'y rendaient en silence, portant des fleurs qu'ils déposaient au bord de l'eau. Ce rituel, bien que discret, maintenait en vie la mémoire de ce qui s'était passé. Les enfants grandissaient avec ces histoires, comprenant que leur village portait en lui une force que rien, pas même les puissances du royaume, ne pouvait totalement éteindre.

Chapitre 22 : Une Voix au-delà des ombres

Claire n'avait pas prévu de découvrir ce carnet. Ce fut par un hasard presque banal qu'elle tomba dessus, enfoui dans un coffre de bois poussiéreux, oublié sous une trappe dans le sol de l'église Saint-Jean. C'était un jour de grand ménage collectif, une tentative des villageois de redonner un peu d'éclat à ce lieu de mémoire. Lorsque ses doigts touchèrent la reliure usée, un frisson la parcourut. Le carnet semblait chargé d'une vie propre, comme s'il avait attendu que quelqu'un le trouve.

La couverture, de cuir noirci par le temps, portait des initiales gravées discrètement dans un coin : **S.M.**. Claire n'eut aucun doute sur son propriétaire. Simon Masfranc, le héros tragique d'Abjat, celui qui avait payé de sa vie pour défendre le village lors du jugement de 1641. Elle ouvrit le carnet avec précaution, le cœur battant. Les pages, jaunies et fragiles, étaient remplies d'une écriture serrée, nerveuse, où chaque mot semblait porter le poids de l'âme de son auteur.

Les premières lignes du carnet frappèrent Claire par leur simplicité et leur honnêteté.

« 12 mars 1639 – On me dit souvent que j'ai l'âme d'un meneur, mais je n'en suis pas sûr. Parfois, je me demande si je ne suis pas seulement un homme trop en colère pour baisser la tête. »

Simon, dont la mémoire était auréolée de bravoure et de sacrifice, se révélait sous une lumière différente. Il doutait, se questionnait, exprimait une humanité brute que Claire ne pouvait s'empêcher de trouver profondément touchante.

Il parlait de son amour pour le village, mais aussi de ses frustrations face aux injustices croissantes imposées par la couronne. Il mentionnait les taxes exorbitantes, les menaces constantes, et la peur sourde qui s'insinuait dans le cœur des habitants.

« Nous vivons sous une ombre qui ne cesse de grandir. Les cloches de Saint-Jean sonnent, mais elles ne portent plus la joie. Elles annoncent des jours sombres à venir. »

À mesure que Claire avançait dans sa lecture, elle sentit le poids de la tension monter. Les pages évoquaient les semaines précédant les événements tragiques. Simon décrivait ses rencontres secrètes avec d'autres villageois, des discussions passionnées où l'on débattait de l'opportunité de résister aux magistrats envoyés par Nérac.

« Guillaume dit qu'il faut trouver une solution pacifique. Étienne parle de se battre. Moi, je suis partagé. La violence attire la violence, mais le silence tue tout autant. »

Claire réalisa alors que Simon n'avait pas été ce meneur implacable que l'histoire avait façonné. Il avait été un homme déchiré entre le devoir envers son village et la peur de précipiter des innocents dans une spirale de destruction.

Dans une entrée particulièrement poignante, il écrivit :

« Si nous échouons, que restera-t-il de nous ? De nos rêves ? Peut-être rien. Mais si nous ne faisons rien, alors nous sommes déjà morts. »

Mais ce qui surprit le plus Claire fut une mention répétée, presque obsessionnelle, d'un certain « J.D. ». Le carnet ne fournissait que des indices fragmentaires sur cette personne :

« J.D. promet de nous aider, mais peut-on vraiment lui faire confiance ? »

« Si je tombe, J.D. saura peut-être pourquoi. Mais saura-t-il seulement porter ce fardeau ? »

Claire ne put s'empêcher de se demander qui était ce mystérieux J.D. était-ce un allié, un traître, ou simplement un spectateur des événements ? Les pages suivantes ne livraient que des détails flous, mais l'omniprésence de ce nom lui donnait une importance indéniable.

Les dernières pages du carnet étaient marquées d'une intensité déchirante. Simon y décrivait le jour fatidique où tout bascula.

« 10 mai 1641 – Le pont de la Charelle est devenu notre dernier rempart. Nous savons que les soldats approchent. Je regarde
les visages autour de moi, jeunes et vieux, et je me demande si j'ai eu tort de les entraîner ici. Mais il est trop tard pour reculer. Trop tard pour regretter. »

Il parlait de son camarade Jean, dont le courage le réconfortait, et de Claire, une jeune fille qu'il avait croisée au village, qui portait une lumière d'espoir dans son regard. Claire, en lisant son propre nom, sentit une vague d'émotion la submerger. Elle ne se souvenait pas de Simon, mais il se souvenait d'elle.

« Quand je vois les enfants courir dans les champs, je sais pourquoi je suis ici. Je suis ici pour qu'ils puissent encore courir demain. »

Les dernières lignes étaient presque illisibles, comme si la main de Simon tremblait en les écrivant.

« Si quelqu'un lit ceci un jour, sachez que je ne regrette rien. Tout ce que je veux, c'est que le village vive. Et si cela signifie mourir, alors je suis prêt. »

Claire referma le carnet, les larmes coulant librement sur ses joues. Elle comprenait mieux maintenant ce que Simon représentait, non pas comme un héros idéalisé, mais comme un homme qui avait choisi de porter un fardeau immense par amour pour son village.

Elle montra le carnet à Guillaume, qui, en le lisant, sembla vieillir de plusieurs années. « Ce carnet, » dit-il, « est plus qu'un simple témoignage. C'est une relique. Simon mérite d'être entendu, non pas comme une légende, mais comme un homme. »

Le nom de J.D. devint un sujet de débat parmi les villageois. Était-ce un noble local ? Un magistrat corrompu ? Ou quelqu'un d'encore plus proche, une figure que l'histoire avait oubliée ? Claire se promit de trouver des réponses. Mais pour l'instant, le carnet fut placé dans l'église, sous l'autel. Guillaume proposa de lire quelques extraits lors des veillées, afin que le village comprenne mieux ce qu'il devait à Simon.

Le journal de Simon ne changea pas seulement la perception des habitants d'Abjat. Il insuffla une nouvelle énergie dans leur quête de mémoire et de résilience. Chaque page était un rappel que le passé, aussi douloureux soit-il, ne devait pas être oublié.

Et dans les nuits silencieuses, lorsque le vent soufflait à travers les collines, Claire aimait à penser que l'âme de Simon trouvait enfin la paix, sachant que ses mots, sa vie continuaient de résonner dans le cœur de ceux qu'il avait tant aimés.

Chapitre 23 : Le Père Matthieu et l'Épreuve de Foi

Le jugement qui frappa Abjat en mai 1641 ne se contenta pas d'imposer des sentences cruelles aux habitants. Il marqua également l'église du village, autrefois symbole d'unité et de foi, en la privant de ses cloches et en la réduisant au silence. Ce lieu sacré, pivot de la vie spirituelle et communautaire, devint une ombre de lui-même, figé dans un deuil silencieux. Et au centre de cette épreuve se trouvait le prêtre du village, le père Matthieu, un homme dont le rôle allait évoluer sous le poids des tragédies.

Le père Matthieu était arrivé à Abjat bien avant les événements tragiques. D'origine modeste, il avait grandi dans un petit hameau voisin avant de rejoindre le séminaire. Il n'était ni austère ni flamboyant, mais il possédait une foi sincère et un amour profond pour ses paroissiens. Sa voix douce, ses homélies empreintes de compassion, et sa présence constante en faisaient une figure respectée.

Avant le jugement, l'église Saint-Jean était le cœur battant du village. Les cloches rythmaient le quotidien, annonçant les messes, les mariages et les enterrements. Elles sonnaient également l'alarme en cas de danger, rassemblant les villageois dans une solidarité instinctive. Pour le père Matthieu, ces cloches représentaient la voix de Dieu, un rappel sonore de sa présence et de sa protection.

Mais après le jugement, lorsque les cloches furent descendues et emportées, l'église perdit une partie de son âme. Le père Matthieu, qui avait toujours vu son rôle comme celui d'un guide spirituel, se retrouva confronté à une crise qu'il n'avait jamais imaginée : comment diriger un troupeau dont la foi vacillait sous le poids de l'injustice et du désespoir ?

L'absence des cloches marqua une rupture brutale dans la vie d'Abjat. Les dimanches, autrefois joyeux et rythmés par le tintement du bronze, devinrent mornes. Les villageois continuaient à venir assister à la messe, mais leur présence était empreinte d'une douleur. Les prières semblaient moins vibrantes, les chants moins fervents. Et dans ce silence pesant, le père Matthieu ressentait une solitude grandissante.

Il passait de longues heures dans l'église, agenouillé devant l'autel, cherchant des réponses dans la prière. Mais les mots qui lui venaient étaient souvent teintés de doutes. Avait-il fait assez pour protéger son village ? Avait-il échoué en tant que guide spirituel ? L'absence des cloches, pour lui, était plus qu'un symbole : c'était une punition qui le hantait.

Un jour, alors qu'il se promenait près du Bandiat, il confia ses pensées à Claire, qu'il avait toujours considérée comme l'une de ses ouailles les plus pieuses.

— « Claire, » murmura-t-il, les yeux fixés sur l'eau. « Est-ce que Dieu nous a abandonnés ? »

Claire, avec sa sagesse silencieuse, posa une main sur son bras.

— « Non, mon père, » répondit-elle doucement. « Il nous regarde toujours. Mais parfois, Il nous laisse trouver notre propre chemin dans les ténèbres. »

Ces mots, bien que simples, ramenèrent un semblant de réconfort au père Matthieu. Il réalisa qu'il devait continuer, non pas pour lui-même, mais pour les âmes brisées qui avaient encore besoin de lui. Après le jugement, le père Matthieu devint plus qu'un prêtre. Il devint un consolateur, un arbitre des conflits, et un gardien de la mémoire collective. Il visitait les maisons les plus touchées, apportant des paroles de réconfort à ceux qui avaient perdu des proches ou qui vivaient dans la peur constante des représailles. Ses homélies, autrefois centrées sur l'obéissance et la piété, prirent un ton plus humain, parlant de résilience, de solidarité, et de pardon.

Pour beaucoup, il fut une ancre dans la tourmente. Lorsque les familles brisées se disputaient pour des questions de terres ou de biens, il intervenait pour calmer les esprits. Lorsqu'un enfant tombait malade, il veillait à son chevet avec une ferveur presque paternelle. Et lorsqu'un villageois ne parvenait plus à trouver la force de prier, il s'agenouillait à ses côtés et prononçait les mots à sa place.

Malgré tout, l'église Saint-Jean restait silencieuse, et ce silence devint un symbole à part entière. Les bancs, les vitraux, et même les pierres des murs semblaient témoins muets des épreuves du village. Le père Matthieu, conscient de l'importance de ce lieu, entreprit de transformer l'église en un sanctuaire pour la mémoire collective d'Abjat.

Il commença par inscrire les noms des villageois perdus sur un grand panneau de bois qu'il plaça près de l'autel. Chaque dimanche, il ajoutait une prière pour eux, demandant à Dieu de les accueillir dans la lumière éternelle. Il encouragea également les habitants à partager leurs souvenirs, leurs récits, leurs espoirs. Ces récits, bien qu'empreints de douleur, devinrent une source de réconfort pour la communauté.

Bien que le père Matthieu portât en lui le fardeau de ces épreuves, il ne perdit jamais complètement espoir. Il croyait que les cloches d'Abjat reviendraient un jour, que la voix de Dieu résonnerait à nouveau dans la vallée. Il en parlait parfois dans ses sermons, avec une conviction qui redonnait de la force à ceux qui l'écoutaient. — « Les cloches peuvent être absentes, mais leur son ne meurt jamais, » disait-il. « Un jour, lorsque nous serons prêts, elles reviendront. Et leur tintement annoncera un renouveau, une réconciliation entre le ciel et la terre. »

Ces paroles, bien que simples, plantèrent les graines d'un espoir discret, mais tenace. Les habitants commencèrent à croire qu'un avenir meilleur était possible, qu'Abjat pourrait un jour retrouver sa voix.

Avec le temps, le père Matthieu trouva une forme de paix dans son rôle transformé. Il comprit que, même sans cloches, sans faste, l'église Saint-Jean restait un lieu sacré, non pas pour ce qu'elle possédait, mais pour ce qu'elle représentait. Elle était le témoin des souffrances et des triomphes d'Abjat, un espace où l'humanité et la foi s'entrelaçaient dans leur complexité.

Le père Matthieu, jusqu'à ses derniers jours, resta fidèle à cette église silencieuse. Il passait souvent ses soirées à marcher dans la nef, ses mains jointes en prière, murmurant des mots pour les vivants et les morts. Et lorsqu'il s'éteignit, des années plus tard, les habitants d'Abjat trouvèrent dans sa disparition une nouvelle forme de perte, mais aussi une leçon : que, même dans le silence, la foi peut être une source de lumière.

Chapitre 24 : Guillaume, le survivant

Guillaume avançait lentement sur le chemin rocailleux qui menait à Abjat, sa silhouette maigre se dessinant dans la lumière dorée de l'aube. Il était revenu, enfin, après des années passées loin de son village natal. Mais ce n'était pas le même homme qui avait quitté Abjat sous les huées de soldats armés. Les galères royales l'avaient transformé : son dos était voûté, ses mains calleuses témoignaient des travaux harassants, et son visage, creusé par les épreuves, portait les traces indélébiles de la souffrance. Pourtant, ses yeux brillaient encore d'une étincelle, un mélange d'espoir.

Son retour n'avait pas été triomphal. Quelques villageois l'avaient aperçu lorsqu'il était entré dans la rue principale, un sac de toile sur l'épaule, ses vêtements usés. Il avait senti leurs regards, certains pleins de pitié, d'autres empreints de gêne ou de distance. Aucun d'eux ne s'était approché pour l'accueillir. Peut-être était-ce la crainte de rouvrir les plaies du passé, ou peut-être voyaient-ils en lui le rappel vivant de ce qu'ils avaient perdu.

Pourtant, Guillaume ne leur en voulait pas. Il comprenait leur silence, leur méfiance. Il était parti en 1641, emmené de force après le jugement de Nérac. À l'époque, il avait été désigné comme l'un des responsables du soulèvement, bien qu'il n'ait jamais levé une arme. Enseignant au village, il avait surtout essayé de protéger ses élèves, de calmer les esprits échauffés. Mais sa proximité avec Simon Masfranc et son influence sur les jeunes hommes du village l'avaient placé sous les feux de l'accusation. Lorsqu'il avait été emmené, il savait que son départ n'était qu'un des nombreux sacrifices qu'Abjat subirait.

Les premières semaines sur les galères royales avaient été un véritable choc pour Guillaume. Enchaîné avec d'autres prisonniers, il avait été confronté à une brutalité qu'il n'avait jamais imaginée. Le travail était exténuant : des heures interminables passées à ramer, les muscles criant de douleur, le souffle court. Le sel de la mer brûlait sa peau, les chaînes lacéraient ses poignets et ses chevilles. Les gardes n'avaient aucune pitié, distribuant coups et insultes comme s'il s'agissait d'une part normale de la vie quotidienne.

Mais le pire n'était pas la douleur physique. C'était la perte de soi. Jour après jour, Guillaume avait vu des hommes perdre leur humanité, leurs noms remplacés par des numéros, leurs visages marqués par la résignation. Il s'était juré de ne pas sombrer, de ne pas céder à la haine ou au désespoir. Il trouvait refuge dans ses souvenirs : les rires des enfants dans sa classe, les discussions avec Simon, et même les simples plaisirs de la vie à Abjat, comme sentir le vent caresser son visage près du Bandiat.

C'est aussi sur les galères qu'il avait appris la valeur du pardon. Un jour, alors qu'il s'effondrait sous le poids de la fatigue, un autre galérien, un homme nommé Benoît, l'avait aidé à se relever. Benoît lui avait murmuré : « Nous sommes peut-être des prisonniers, mais nos âmes restent libres si nous le voulons. Ne laisse pas cette place te voler ce que tu es. » Ces mots avaient résonné en Guillaume comme un mantra. Il avait commencé à réciter mentalement des prières, des poèmes, tout ce qui pouvait maintenir son esprit vivant.

Lorsque Guillaume avait été libéré, après des années de supplications de la part des habitants d'Abjat pour obtenir la grâce des survivants, il était presque méconnaissable. Les lettres d'abolition avaient été leur salut, mais, pour Guillaume, elles représentaient également un nouveau départ, une chance de reconstruire ce qui avait été détruit.
Pourtant, franchir les portes d'Abjat avait réveillé une angoisse qu'il n'avait pas ressentie depuis des années.

Le village lui semblait à la fois familier et étranger. Les rues étaient les mêmes, mais l'atmosphère avait changé. Les maisons portaient les marques du temps et de l'abandon. Les champs autrefois fertiles étaient en friche. Mais ce qui frappait Guillaume le plus, c'était le silence. Les cloches de l'église Saint-Jean ne résonnaient plus, et ce silence pesait comme un linceul sur le village. Il avait envie de pleurer, mais il se retint. Il devait être fort, pour lui-même, mais surtout pour ceux qui l'avaient attendu.

Guillaume avait décidé de se rendre utile dès son retour. Il savait qu'il devait regagner la confiance des habitants, mais surtout, il voulait jouer un rôle actif dans la reconstruction d'Abjat. Il commença par reprendre son poste d'instituteur, bien que la classe fût désormais réduite à une poignée d'enfants. Enseigner était pour lui une forme de renaissance. Chaque leçon, chaque mot qu'il prononçait était un acte de résistance contre l'oubli.

Les enfants, d'abord intimidés par cet homme émacié qui revenait des enfers, finirent par s'attacher à lui. Il leur parlait souvent de courage, de persévérance, et de l'importance de l'éducation.
« Connaître le passé, c'est éviter de le répéter », leur disait-il. Ses

mots trouvaient un écho chez les adultes, qui commençaient à voir en lui non seulement un survivant, mais aussi un leader.

Peu à peu, Guillaume devint un pilier de la communauté. Il aidait aux travaux des champs, participait à la réparation des maisons, et assistait les familles dans le besoin. Mais son rôle allait au-delà du travail manuel. Il devint un médiateur, réglant les conflits entre voisins, apaisant les tensions nées des blessures laissées par le jugement de 1641. Son expérience sur les galères lui avait appris la valeur de la solidarité, et il s'efforçait de transmettre cette leçon à ses concitoyens. Malgré son rôle crucial dans la renaissance d'Abjat, Guillaume portait encore en lui le poids de ses souvenirs. Les nuits étaient particulièrement difficiles. Il rêvait souvent des galères, des cris, des coups, des visages des hommes qu'il avait vus mourir. Mais il rêvait aussi de Simon, son ami perdu, dont le sacrifice hantait ses jours comme ses nuits.

Un soir, alors qu'il se promenait au bord du Bandiat, Guillaume s'arrêta pour contempler l'eau. Il se souvenait de Simon, de son rire éclatant, de ses idées passionnées. Il se demanda si Simon aurait approuvé ce qu'Abjat était devenu, si lui-même avait été à la hauteur de son sacrifice. Ces questions le tourmentaient, mais il savait qu'il devait avancer, non seulement pour lui, mais pour tous ceux qui ne le pouvaient plus.

Un jour, alors qu'il aidait Claire à réparer une partie effondrée de l'église, Guillaume eut une révélation. Claire, qui avait également perdu beaucoup dans les événements de 1641, lui parla de son propre combat pour trouver la paix. « Le pardon, Guillaume, ce n'est pas oublier. C'est accepter ce qui est arrivé et continuer à vivre malgré tout. »

Ces mots résonnèrent profondément en lui. Il comprit qu'il ne pourrait jamais changer le passé, mais qu'il avait le pouvoir d'influencer l'avenir. Il se mit alors à écrire, consignant ses souvenirs des galères, ses réflexions sur la justice et la foi, et ses espoirs pour le futur d'Abjat. Ces écrits, qu'il partagea plus tard avec les habitants, devinrent une source d'inspiration pour le village.

Guillaume, bien qu'il ne fût pas un homme riche ou puissant, laissa un héritage profond à Abjat. Par son courage et sa détermination, il montra que même les blessures les plus profondes pouvaient être surmontées. Il enseigna aux habitants que la résilience n'était pas une absence de douleur, mais une capacité à transformer cette douleur en force.

Jusqu'à la fin de ses jours, Guillaume continua de marcher sur les chemins d'Abjat, ses pas témoignant d'une vie marquée par la souffrance, mais aussi par la foi en un avenir meilleur. Et chaque fois qu'il croisait un enfant, un paysan ou une vieille femme, il leur offrait un sourire, un mot d'encouragement, un rappel que, malgré tout, ils étaient encore debout.

Chapitre 25 : Le Manuscrit caché

C'était un après-midi gris et froid, le vent, glissant entre les collines, faisait vibrer les carreaux des maisons d'Abjat, créant une mélodie mélancolique. Claire, emmitouflée dans un châle de laine, poussait la lourde porte de l'église Saint-Jean. L'air à l'intérieur était frais, empreint de l'odeur de pierre ancienne et de cire fondue. Les vitraux tamisaient la lumière du jour, projetant des éclats de couleurs sur le sol de pierre. Elle venait chercher un moment de répit, une trêve dans ses pensées tourmentées, mais, ce jour-là, elle trouva bien plus.

Depuis les événements tragiques qui avaient marqué le village,

Claire venait souvent à l'église pour prier. Elle trouvait dans ce lieu un calme qu'aucun autre endroit ne pouvait offrir, une échappatoire à la lourdeur des murmures du village et des visions qui hantaient ses nuits. Mais ce jour-là, quelque chose semblait différent. Le silence de l'église était inhabituel, presque trop profond, comme si le lieu retenait son souffle.

Claire s'approcha de l'autel, où une fine couche de poussière s'était déposée depuis que les messes étaient devenues moins fréquentes. Les habitants, épuisés par leurs luttes quotidiennes, avaient peu de temps à consacrer à Dieu. Elle s'agenouilla et ferma les yeux, laissant ses pensées errer. Mais une sensation étrange s'insinua en elle, une impression d'être observée, d'être guidée. Lorsqu'elle ouvrit les yeux, son regard fut attiré par un recoin de la nef qu'elle n'avait jamais vraiment remarqué.

C'était une petite porte en bois, discrète, presque cachée derrière une colonne massive. Claire s'approcha, ses pas résonnant doucement sur le sol de pierre. La porte était légèrement entrouverte, révélant un escalier en colimaçon descendant dans l'obscurité. Elle hésita, une main posée sur la poignée, son cœur battant plus vite. L'endroit semblait abandonné depuis des années, mais quelque chose l'appelait. Ignorant les doutes qui la traversaient, elle poussa la porte et commença à descendre.

Les marches étaient étroites et inégales, usées par le temps. Une odeur de renfermé, mêlée à celle de vieux parchemins, emplit l'air. Claire atteignit une petite pièce voûtée éclairée par un rai de lumière provenant d'une fissure dans le mur. Au centre de la pièce se trouvait une table de pierre recouverte de débris : des plumes séchées, des restes de chandelles, et, surtout, un vieux manuscrit poussiéreux. Il était posé là, comme s'il avait attendu des années qu'on le découvre.

Claire tendit la main, hésitant à toucher l'objet, presque sacré. Lorsqu'elle effleura la couverture de cuir craquelé, une sensation étrange la traversa, comme un courant d'air chaud. Elle ouvrit le manuscrit avec précaution, dévoilant des pages jaunies remplies d'une écriture fine et serrée. Les mots, écrits à l'encre noire, semblaient danser sous ses yeux. Elle reconnut rapidement le nom de François de Vaucocour, inscrit en lettres capitales au sommet de plusieurs pages.

Au fil de sa lecture, Claire sentit une boule se former dans sa gorge. Les mots décrivaient avec précision les actes de Vaucocour, ses exactions dans les villages qu'il traversait. Le manuscrit était une chronique de ses abus, rédigée par un prêtre anonyme qui semblait avoir été témoin de ses méfaits. Réquisitions violentes, pillages, et même des récits de villages entiers réduits au silence sous sa poigne de fer. Les détails étaient glaçants.

Mais ce qui frappa Claire le plus, ce furent les notes en marge des pages. Des commentaires griffonnés à la hâte, des prières, et des avertissements adressés à ceux qui trouveraient ces écrits. « Il ne cherche pas seulement le pouvoir, » disait une annotation. « Il agit comme un homme possédé, poussé par une force que même Dieu semble avoir abandonnée. »

En tournant une page, Claire découvrit une section qui la fit frissonner. Le manuscrit mentionnait Abjat, et plus précisément l'incident tragique du pont de la Charelle. Les événements étaient décrits avec une froideur clinique : la tentative d'enlèvement de Claire, la révolte des villageois, et la mort de Vaucocour. Mais ce n'était pas tout. Une phrase griffonnée en bas de la page attira son attention : « Son âme ne trouvera jamais le repos. Il est condamné à errer, à chercher ce qu'il ne pourra jamais obtenir. »

Claire sentit une vague de peur et de fascination l'envahir. Étaitce là l'explication des visions qu'elle avait de Vaucocour ? Était-il vraiment condamné à hanter ces terres ? Et pourquoi, dans ses rêves, semblait-il à la fois coupable et désespéré ?

Plus elle avançait dans le manuscrit, plus les références à la cloche d'Abjat devenaient fréquentes. Le prêtre semblait croire que cette cloche, bénie des années auparavant, était bien plus qu'un simple instrument sacré. « La cloche porte la voix de Dieu, mais aussi celle des âmes perdues, » écrivait-il. Une autre note ajoutait : « Lorsque la cloche a sombré dans la rivière, elle a emporté avec elle le dernier espoir de rédemption pour ceux qui ont péché. »

Claire sentit un frisson la parcourir. Les visions de la cloche sous l'eau, les vibrations qu'elle ressentait dans ses rêves, tout semblait prendre un nouveau sens. La cloche n'était pas seulement un symbole de leur passé, mais peut-être une clé pour libérer les âmes tourmentées d'Abjat, y compris celle de Vaucocour.

Claire referma le manuscrit, les mains tremblantes. Elle savait qu'elle venait de découvrir quelque chose de précieux, mais aussi de dangereux. Ces écrits contenaient des vérités que beaucoup préféreraient ignorer, des secrets enfouis depuis trop longtemps. Elle savait qu'elle ne pouvait pas garder cela pour elle, mais elle ignorait à qui elle pouvait se confier.

Le prêtre actuel, vieil homme fatigué et peu enclin aux mystères, lui, serait sans doute d'un maigre secours. Étienne, le forgeron, pourrait écouter, mais il n'était pas homme à croire aux légendes. Pourtant, Claire sentait qu'elle devait agir, qu'elle devait comprendre le lien entre la cloche, les visions, et les âmes tourmentées qui semblaient chercher la paix.

Claire remonta lentement l'escalier, le manuscrit serré contre elle. Lorsqu'elle ouvrit la porte de l'église, le soleil avait percé les nuages, projetant des rayons dorés à travers les vitraux. Elle s'arrêta un instant, laissant la lumière réchauffer son visage, et inspira profondément.

Ce qu'elle avait découvert changeait tout. Les événements tragiques d'Abjat n'étaient pas seulement une suite de malheurs, mais une toile complexe de fautes, de douleurs et de secrets enfouis. Et elle, Claire, semblait être au cœur de cette histoire, porteuse d'un fardeau qu'elle n'avait pas demandé, mais qu'elle ne pouvait ignorer.

En sortant de l'église, elle leva les yeux vers le clocher vide, et, pour la première fois, elle se demanda si le tintement de la cloche pourrait un jour résonner à nouveau, portant avec lui le pardon et la paix que tant d'âmes attendaient.

Chapitre 26 : L'exil de Claire

Le village d'Abjat, vidé de ses cloches et de son éclat, était devenu pour Claire un lieu où chaque pierre, chaque chemin, chaque murmure du vent portait l'écho de son deuil. La mort de Jean pesait sur elle comme une ombre permanente. Malgré ses prières et les mots de réconfort des autres villageois, elle ne trouvait ni paix ni apaisement. Elle voyait son visage dans chaque reflet d'eau, entendait sa voix dans le silence de l'église désormais muette. Ce chagrin, profond et inextinguible, la poussait vers une décision qu'elle n'aurait jamais cru possible : quitter Abjat.

Le matin où Claire fit ses adieux, le ciel était voilé d'un gris pâle, comme si la nature elle-même partageait son trouble. Elle se tenait devant la petite maison en pierres qu'elle avait habitée toute sa vie, un sac modeste contenant ses maigres possessions à ses pieds. Les habitants s'étaient rassemblés en silence, leur tristesse visible sur leurs visages. Beaucoup d'entre eux comprenaient sa décision, même s'ils la regrettaient.

Étienne, l'ancien forgeron qui avait miraculeusement échappé aux galères grâce à une intervention locale, lui serra la main avec une gravité respectueuse.
— « Tu reviendras, Claire, » murmura-t-il. « Peu importe où tu vas, Abjat sera toujours ta maison. »

Claire hocha la tête, mais au fond d'elle, elle n'y croyait pas. Elle n'était plus la Claire insouciante qui riait au bord du Bandiat avec Jean. Cette Claire était morte avec lui, et ce village était devenu le mausolée de ses souvenirs.

Avec un dernier regard vers l'église sans cloches, elle prit la route, son cœur lourd de désespoir.

Le voyage vers Thiviers fut long et solitaire. Claire avançait à pied, ses maigres économies ne lui permettant pas de se payer une place sur une charrette. La route était bordée de paysages qui semblaient refléter son état intérieur : des champs dépouillés par les récoltes, des bois sombres où le silence pesait lourd. À chaque pas, elle se demandait si elle avait fait le bon choix. Quitter Abjat signifiait abandonner le dernier lien tangible avec Jean, mais rester signifiait suffoquer sous le poids de ses souvenirs.

Chaque nuit, elle trouvait refuge sous un arbre ou dans une grange abandonnée. Le froid mordait sa peau, mais elle serrait son châle noir autour d'elle, se rappelant qu'il était tout ce qu'elle possédait désormais. Les rares voyageurs qu'elle croisait sur la route la regardaient avec une curiosité mêlée de méfiance. Une jeune femme seule, vêtue de noir, avançant sans but apparent, semblait une figure étrange et tragique.

Thiviers, lorsqu'elle l'atteignit enfin, la submergea par son ampleur. Habituée à l'intimité d'Abjat, où chaque visage était familier, elle se retrouva plongée dans le tumulte d'une petite ville en effervescence. Les rues pavées résonnaient du bruit des sabots des chevaux et des roues des charrettes. Des étals de marché, débordant de tissus, de fruits et d'épices, bordaient les allées principales, tandis que des marchands criaient leurs prix pour attirer les acheteurs.

Mais Claire n'était pas là pour s'émerveiller. Son but était clair : trouver un travail qui lui permettrait de survivre. Dans un coin reculé de son esprit, une idée persistante la poussait vers un endroit précis : le manoir des Vaucocour.

Elle avait entendu parler de leur domaine, une vaste demeure fortifiée à la périphérie de Thiviers, réputée pour sa richesse et son opulence. Si elle pouvait y trouver un emploi, elle aurait un toit sur la tête et de quoi se nourrir. Mais elle savait aussi que ce choix était lourd de symbolisme. Travailler pour la famille de l'homme responsable de tant de souffrance à Abjat, et de la mort de Jean, semblait presque une trahison. Pourtant, c'était précisément cette ambiguïté qui l'attirait. Peut-être que, dans leur maison, elle pourrait trouver des réponses, ou du moins une forme de catharsis.

Le domaine des Vaucocour se dressait comme une forteresse sur une colline, ses hautes tours dominant les environs. Lorsque Claire s'approcha des lourdes portes en bois, son cœur battait à tout rompre. Elle inspira profondément avant de frapper.

Un majordome sévère, vêtu d'un habit noir impeccable, ouvrit la porte et la regarda de haut en bas avec une froide indifférence. — « Que voulez-vous, mademoiselle ? » demanda-t-il.

Claire, rassemblant tout son courage, répondit d'une voix qu'elle espérait ferme :

— « Je cherche du travail. Je peux servir comme femme de chambre ou dans les cuisines. »

Le majordome l'observa un instant, puis la fit entrer sans un mot. L'intérieur du manoir était à la fois somptueux et oppressant. Les murs étaient ornés de portraits de la famille, leurs visages sévères fixant les visiteurs comme pour les juger. Des tapisseries détaillées couvraient les pierres froides, et l'air était chargé d'un parfum d'épices et de bois ciré.

Après une brève discussion avec l'intendante, on l'assigna aux cuisines. Claire se vit confier des tâches simples : éplucher les légumes, nettoyer les sols, et aider à préparer les repas pour la famille et leurs invités. Le travail était dur, mais il offrait une distraction bienvenue. Pour la première fois depuis longtemps, elle se sentit utile.

Bien que son travail l'éloignât des membres de la famille, Claire croisa parfois Gaston de Vaucocour dans les couloirs. Son cœur se serrait à chaque fois qu'elle voyait sa silhouette imposante. Il était souvent accompagné d'autres nobles, discutant à voix basse de questions politiques ou militaires. À ses yeux, il incarnait tout ce qui avait détruit sa vie : l'arrogance des puissants, leur mépris pour ceux qu'ils considéraient comme insignifiants.

Mais Gaston ne la remarqua pas tout de suite. Pour lui, elle n'était qu'une servante parmi d'autres, une figure anonyme dans le paysage de sa maison. Ce fut lors d'un dîner où elle servait le vin que leurs regards se croisèrent pour la première fois. Gaston fronça légèrement les sourcils, comme s'il reconnaissait un visage familier sans parvenir à le replacer.

Claire détourna rapidement les yeux, mais ce moment fut suffisant pour raviver en elle une tempête d'émotions. Travailler dans ce manoir n'était pas simplement une question de survie. C'était une épreuve quotidienne, un rappel constant de tout ce qu'elle avait perdu.

La nuit, lorsqu'elle se retirait dans la petite chambre qu'on lui avait assignée dans les combles, Claire se permettait de céder à ses émotions. Elle allumait une bougie et sortait les rares souvenirs qu'elle avait emportés d'Abjat : un morceau de tissu appartenant à Jean, une petite croix en bois qu'il lui avait taillée, et une mèche de cheveux qu'elle avait coupée lors de leurs promenades.

Elle murmurait des prières, non plus pour elle-même, mais pour lui. Ses larmes coulaient silencieusement, mouillant l'oreiller où elle reposait son visage. Pourtant, chaque matin, elle se levait, replaçait ses souvenirs dans un coin de son sac, et recommençait sa journée comme si de rien n'était.

Malgré le poids de son deuil et la dureté de sa nouvelle vie, Claire commençait à se rendre compte qu'elle possédait une force qu'elle n'avait jamais soupçonnée. Elle travaillait avec acharnement, gagnant la confiance et le respect de ses supérieurs. Mais dans les couloirs sombres du manoir des Vaucocour, elle sentait aussi naître en elle une autre émotion, plus dangereuse : une forme de défiance, un besoin de comprendre et, peut-être, de confronter l'homme qui incarnait ses pertes.

Chaque jour, elle s'approchait un peu plus de cette confrontation inévitable. Et, bien qu'elle ne sache pas encore ce qu'elle espérait en retirer, elle sentait que son séjour à Thiviers n'était que le début d'un chemin complexe et chargé d'émotions.

Chapitre 27 : La malédiction

Tout commença quelques semaines après l'exécution des peines infligées aux villageois d'Abjat. Un berger, descendant des collines avec son troupeau, jura avoir vu une énorme couleuvre rousse se glisser parmi les rochers près du pont. La bête, selon ses dires, n'avait rien de naturel. Elle était trop grande, ses écailles trop luisantes, et son regard… Son regard rougeoyant semblait empli d'une colère, presque humaine.

— « C'était comme si elle me voyait, mais pas comme un serpent voit une proie. Elle me jugeait, » répétait-il souvent, tremblant encore à chaque mot.

Rapidement, ces récits se multiplièrent. Des voyageurs passant par le pont racontèrent avoir entendu un sifflement perçant, semblable au cri d'un homme mourant, juste avant d'apercevoir l'ombre de la bête glissant dans l'eau ou disparaissant dans les broussailles. Les rumeurs se répandirent comme une traînée de poudre. On disait que la couleuvre apparaissait toujours au crépuscule, lorsque le ciel prenait des teintes de feu, et que son apparition était un présage de malheur. Les descriptions de la créature variaient d'un récit à l'autre, mais plusieurs détails revenaient sans cesse. La couleuvre rousse, immense et presque lumineuse, semblait protéger le pont de la Charelle comme une sentinelle. Ses écailles, d'un rouge cuivré, captaient la lumière d'une manière étrange, donnant l'impression qu'elle portait les flammes du couchant sur son dos. Certains prétendaient même qu'elle sifflait des mots, des murmures incompréhensibles, mais lourds de menaces.

Les anciens du village, bien que sceptiques, commencèrent à y voir un lien troublant avec la mort de François de Vaucocour. Ils racontaient que les âmes des nobles ne trouvaient pas toujours le repos lorsqu'elles mouraient dans la honte ou la violence. Ces âmes tourmentées, incapables de franchir les portes de l'au-delà, se transformaient parfois en créatures maudites, liées à l'endroit de leur chute. Ainsi, beaucoup commencèrent à croire que l'âme de Vaucocour, rongée par sa soif de vengeance, avait pris la forme de cette couleuvre rousse.

La peur devint telle que le pont de la Charelle, autrefois une route essentielle reliant les villages voisins, fut peu à peu déserté. Les charretiers préféraient contourner la rivière, même si cela ajoutait des heures à leur voyage. Les paysans, qui autrefois lavaient leurs outils ou pêchaient près du pont, évitaient désormais le lieu comme s'il était maudit.

Un jour, un marchand ambulant, réputé pour son courage, décida de défier la légende. Il traversa le pont au crépuscule, un bâton à la main et une lanterne vacillante accrochée à sa charrette. Mais il ne revint jamais. Sa charrette fut retrouvée quelques jours plus tard, abandonnée au bord du chemin, ses marchandises intactes. On ne trouva aucune trace de l'homme, si ce n'est une paire de bottes près de la rivière, et les marques étranges dans la boue que certains attribuèrent à la queue d'un serpent.

Les récits autour de la couleuvre rousse prirent une nouvelle dimension lorsque les pêcheurs commencèrent à rapporter des phénomènes étranges près de la rivière. La nuit, ils affirmaient entendre un murmure qui semblait monter des profondeurs de l'eau, un mélange de voix humaines et de sifflements reptiliens. Ce murmure, à peine audible, semblait appeler, inviter ceux qui écoutaient à s'approcher.

Un pêcheur plus téméraire que les autres jura avoir vu la créature de ses propres yeux. Selon lui, elle émergea de l'eau dans un silence absolu, ses écailles scintillant sous la lumière de la lune. Elle le fixa un instant avant de disparaître dans les roseaux. Mais ce n'était pas son apparence qui l'avait marqué, disait-il. C'était ce qu'il avait ressenti. — « C'était comme si elle portait toute la haine du monde.

Dans les veillées du village, l'histoire de la couleuvre rousse devint un sujet de fascination et de crainte. On racontait que ceux qui tentaient de chasser le serpent ou de le tuer disparaissaient, ou revenaient changés, incapables de parler de ce qu'ils avaient vu. La légende, nourrie par la peur collective, prenait des proportions de plus en plus fantastiques.

Certains croyaient que la couleuvre était un avertissement, un rappel du prix de l'arrogance et de l'abus de pouvoir. D'autres pensaient qu'elle cherchait à attirer les descendants de ceux qui avaient participé à la bataille sur le pont, comme pour compléter une vengeance inachevée. Quelles que soient les croyances, une chose était sûre : personne n'osait plus traverser le pont de la Charelle après le coucher du soleil.

Pour les villageois d'Abjat, la couleuvre devint rapidement un symbole. Elle représentait tout ce qu'ils avaient enduré, tout ce qu'ils avaient perdu à cause de François de Vaucocour et de son ambition aveugle. Mais elle représentait aussi la colère de ceux qui ne trouvaient jamais le repos, une colère que les habitants partageaient en silence.

Claire, bien qu'ayant quitté Abjat pour Thiviers, entendit parler de la couleuvre rousse par les rumeurs qui circulaient dans les cuisines du manoir des Vaucocour. Elle écoutait attentivement, dissimulant son intérêt. Les serviteurs du manoir, eux aussi, parlaient de la créature, mais avec une peur mêlée de respect. Certains murmuraient que la bête protégeait le nom des Vaucocour, d'autres qu'elle était une malédiction pour leur lignée.

Pour Claire, ces récits étaient une étrange consolation. L'idée que l'âme de François soit piégée sous une forme maudite, incapable de trouver la paix, lui semblait une justice poétique. Mais elle ne disait rien. Elle gardait ses pensées pour elle, consciente que ces histoires, aussi fascinantes soient-elles, étaient également un rappel de tout ce qu'elle avait perdu.

Au fil des saisons, la légende de la couleuvre rousse continua de grandir. Les enfants d'Abjat, bien qu'avertis par leurs parents, s'amusaient à lancer des pierres dans le Bandiat depuis le pont, espérant apercevoir l'ombre du serpent. Les anciens, eux, disaient que, tant que la couleuvre rôderait, la mémoire de ce qui s'était passé sur le pont de la Charelle ne s'effacerait jamais.

Et dans les nuits les plus calmes, lorsque le vent cessait de souffler et que la rivière se faisait silencieuse, certains affirmaient entendre ce murmure étrange. Une voix, à peine un souffle, qui semblait dire : « Je suis là. »

Chapitre 28 : Un reflet du temps

Le château des Vaucocour, à Thiviers, était une forteresse à la fois imposante et envoûtante, nichée sur une colline entourée de forêts profondes. Ses hautes tours se dressaient comme des sentinelles silencieuses, tandis que ses fenêtres à meneaux semblaient observer la vallée en contrebas avec un air impassible. Autrefois témoin des fastes et intrigues des seigneurs locaux, il portait désormais une atmosphère de mystère, presque de mélancolie.

C'est dans ce cadre que Claire, marquée par les événements tragiques d'Abjat, trouva un emploi en tant que servante auprès de la famille Vaucocour. Le village souffrait encore des blessures laissées par le jugement de 1641, et Claire, comme beaucoup, cherchait à subvenir à ses besoins tout en fuyant temporairement les ombres de son passé.

Claire se souvenait encore de son premier jour au château. Le sentier menant à l'entrée principale était bordé de hauts cyprès, alignés comme une procession silencieuse. À mesure qu'elle approchait, le bâtiment se dévoilait dans toute sa grandeur : des murs de pierre épaisse, un portail en fer forgé orné du blason des Vaucocour, deux lions s'affrontant tenant une cloche, et une immense cour intérieure où l'écho des pas semblait s'étirer indéfiniment.

L'intendant, un homme austère nommé monsieur Armand, l'accueillit sans effusion.

— « Ici, tout a sa place, et tout a son rythme, » déclara-t-il en la guidant à travers les couloirs du château. Les salles, bien que majestueuses, étaient empreintes d'une froideur. Les tapisseries usées racontaient des batailles anciennes et des banquets oubliés, tandis que l'odeur subtile de cire et de bois ancien imprégnait l'air.

Le travail de Claire consistait à entretenir les pièces principales, préparer les repas simples pour la maisonnée, et veiller à l'ordre dans les vastes couloirs. Pourtant, ce quotidien monotone était teinté de curiosité. Chaque recoin du château semblait cacher un secret, chaque ombre semblait danser au rythme d'une histoire non racontée.

Elle apprit rapidement que le château n'était plus le foyer vibrant qu'il avait été. La famille Vaucocour, jadis puissante, était désormais réduite à Madame Élise de Vaucocour, une veuve âgée et malade, et son fils unique, Charles, un homme énigmatique au regard perçant. Peu de visiteurs franchissaient les portes du château, et les conversations avec les maîtres de maison étaient rares et mesurées.

Cependant, ce silence apparent dissimulait une tension subtile. Les domestiques chuchotaient souvent à propos des « trésors » que les Vaucocour auraient dissimulés pendant les guerres et des « dettes » qu'ils auraient contractées auprès de la couronne. Claire, bien que peu encline aux ragots, ne pouvait s'empêcher de remarquer les regards furtifs de monsieur Armand lorsqu'elle s'approchait des pièces verrouillées.

Le château des Vaucocour n'était pas seulement une demeure ; il était un univers en lui-même. En dehors des murs, les jardins à la Française, bien que partiellement abandonnés, gardaient une beauté sauvage. Des haies de buis formaient des labyrinthes incomplets, et les rosiers, bien que laissés à leur propre sort, continuaient de fleurir avec une élégance fragile. Au-delà des jardins, un étang bordé de saules pleureurs ajoutait une note mélancolique au paysage.

Chaque matin, après avoir terminé ses tâches principales, Claire s'autorisait une promenade rapide dans les environs. L'étang était son endroit préféré. Là, elle s'asseyait souvent sur une vieille pierre moussue, laissant ses pensées vagabonder. L'eau reflétait le château dans un miroir parfait, et parfois, elle s'amusait à observer les oiseaux qui venaient s'abreuver ou les grenouilles sautillant d'une feuille à l'autre.

Mais la forêt qui entourait le château avait une tout autre aura. Les villageois de Thiviers parlaient souvent de ces bois comme d'un lieu hanté. Claire, bien qu'elle se méfiait peu des légendes, ressentait une étrange inquiétude lorsqu'elle s'y aventurait. Les arbres semblaient former une cathédrale sombre, où chaque bruissement de feuilles était amplifié, chaque craquement de branche semblait un écho d'un temps révolu.

Avec le temps, Claire devint plus à l'aise au château, mais aussi plus attentive à ses moindres détails. Une fois, alors qu'elle dépoussiérait un vieux coffre dans la bibliothèque, elle tomba sur un parchemin jauni. Les mots gravés dessus mentionnaient des « possessions confisquées » et une liste de biens, parmi lesquels figuraient des cloches. Le cœur de Claire se serra.

Elle se souvenait des cloches d'Abjat, de leur mélodie puissante qui rythmait la vie du village avant leur disparition après le jugement. « Ces cloches… pourraient-elles être les nôtres ? » murmura-t-elle en examinant le document. L'idée qu'elles aient transité par le château des Vaucocour éveilla en elle une curiosité irrépressible.

Claire continua d'explorer discrètement les recoins du château. Dans une aile rarement utilisée, elle trouva une porte verrouillée. Monsieur Armand, qui semblait toujours deviner ses intentions, apparut derrière elle.

— « Cette pièce est interdite, » déclara-t-il froidement. Mais son ton ne fit qu'attiser les soupçons de Claire.

Un soir, alors qu'elle servait le dîner à Charles de Vaucocour, elle osa poser une question, d'une voix tremblante, mais déterminée.

— « Monsieur, pardonnez mon audace, mais… le blason de votre famille arbore une cloche. A-t-il un lien avec des objets confisqués autrefois ? »

Charles, surpris par sa question, posa sa fourchette et la regarda longuement. Son regard perçant semblait vouloir sonder son âme. Après un long silence, il répondit :

__ « Ce château, mademoiselle Claire, a vu bien des choses. Des alliances, des trahisons, des pertes. Mais parfois, il vaut mieux laisser le passé là où il repose. »

Sa réponse n'était pas une confirmation, mais elle n'était pas non plus un démenti. Claire comprit qu'il en savait plus qu'il ne voulait bien le dire.

Quelques jours plus tard, alors qu'elle balayait une salle secondaire, Claire trouva un fragment de métal parmi des débris oubliés.

En l'examinant de plus près, elle reconnut une inscription partielle : « **Saint-Jean, 1638** ». Sa respiration s'accéléra. C'était une preuve tangible que les cloches d'Abjat avaient, à un moment, été en lien avec le château des Vaucocour.

Cette découverte, bien que fragmentaire, lui donna un sentiment étrange de satisfaction. Mais elle savait qu'elle ne pouvait rien en faire pour l'instant. Monsieur Armand, et peut-être même Charles, surveillaient chacun de ses pas.

Après plusieurs années au château, Claire décida qu'il était temps de retourner à Abjat. Le château des Vaucocour, bien qu'il l'ait fasciné et marqué, portait une charge émotionnelle trop lourde. Avant son départ, Charles lui remit une lettre scellée, qu'il lui demanda de lire uniquement une fois arrivée chez elle.

Lorsqu'elle l'ouvrit, elle découvrit une confession énigmatique :

« Les cloches d'Abjat n'ont pas disparu. Elles chantent encore, mais sous un autre ciel. Cherchez, et vous trouverez. »

Ces mots, bien que cryptiques, insufflèrent un nouvel espoir en Claire. Le château des Vaucocour, malgré ses secrets, avait semé en elle une nouvelle détermination. Et dans son cœur, elle savait qu'un jour, les cloches d'Abjat retrouveraient leur chemin.

Ainsi, le château, avec ses ombres et ses mystères, devint un chapitre essentiel de sa quête, un lieu où passé et présent s'étaient entremêlés pour raviver une flamme qu'elle croyait éteinte.

Chapitre 29 : Les Lettres du pardon

L'année 1644 marqua un tournant dans l'histoire du village d'Abjat. Trois années s'étaient écoulées depuis que les cloches avaient été arrachées, que Simon Masfranc avait péri sous le poids d'une justice implacable, et que les habitants avaient vu leur vie brisée par les peines infligées par la couronne. Pourtant, à travers les épreuves, une lueur d'espoir persistait : celle d'un pardon qui pourrait leur permettre de respirer à nouveau.

Les lettres d'abolition, ces documents royaux qui absoudraient le village de ses « crimes » passés, n'étaient pas données. Leur prix était exorbitant, à l'image des taxes et des confiscations imposées aux habitants après le jugement de Nérac. Quinze mille livres, une somme colossale pour un village ravagé par la pauvreté et les privations. Cette dette collective, ajoutée à la suppression des foires et marchés qui avaient autrefois fait la prospérité d'Abjat, pesait comme une pierre sur les épaules des survivants.

Pourtant, les habitants s'étaient rassemblés, décidés à acheter leur pardon, coûte que coûte. Pendant trois ans, ils avaient travaillé sans relâche, économisant chaque sou, troquant des biens, et quémandant l'aide de communautés voisines. Les familles s'étaient privées de nourriture pour épargner. Les femmes avaient vendu leurs bijoux et les hommes leurs outils les plus précieux. Chaque pièce de monnaie ajoutée au trésor collectif était un acte de sacrifice, un témoignage de leur détermination à rendre la liberté à leur village.

Un matin d'août 1644, une délégation d'Abjat quitta le village pour se rendre à Bordeaux, où les lettres d'abolition seraient officiellement remises par un représentant du roi. Guillaume, l'ancien instituteur revenu des galères, fut désigné pour conduire cette délégation. Son visage, marqué par les années de souffrance, portait une expression de gravité, mais aussi d'espoir.

À Bordeaux, dans une salle richement décorée du palais du gouverneur, Guillaume et ses compagnons furent accueillis avec froideur. Le représentant royal, un homme imposant au regard perçant, leur tendit les lettres scellées après avoir compté chaque pièce avec une précision méticuleuse. Guillaume, les mains tremblantes, s'agenouilla pour recevoir le document, conscient qu'il portait entre ses doigts bien plus qu'un simple parchemin. C'était la clé qui libérerait Abjat des chaînes de la condamnation.

Lorsqu'ils revinrent à Abjat, portant les lettres comme des reliques sacrées, les habitants les accueillirent avec une joie contenue. Les femmes, les enfants, et les anciens s'étaient rassemblés sur la place centrale, les visages marqués par l'attente et l'espoir. Guillaume, tenant les lettres bien en vue, prononça des mots simples, mais puissants :
— « Nous sommes libres. »

Ces paroles furent suivies d'un silence profond, comme si chacun voulait les graver dans sa mémoire. Puis, lentement, les applaudissements et les cris de joie éclatèrent, emplissant l'air d'une énergie que le village n'avait pas connue depuis des années. Mais au fond de cette liesse, une gravité demeurait. Car si les lettres d'abolition effaçaient leurs fautes aux yeux du roi, elles ne pouvaient effacer les souvenirs des pertes, ni réparer les cicatrices laissées par le passé.

Avec les lettres d'abolition en main, Abjat entreprit la tâche ardue de se reconstruire. Mais le chemin vers la renaissance était semé d'embûches. Les champs, laissés en friche pendant les années de troubles, nécessitaient un travail colossal pour redevenir fertiles. Les maisons abandonnées, effondrées sous le poids des ans, devaient être rebâties pierre par pierre.

Les habitants se mirent au travail avec une détermination farouche. Étienne, le forgeron, reprit son marteau et recommença à forger des outils pour le village. Les femmes, les mains usées par les travaux des champs, confectionnaient des vêtements et préparaient des repas pour soutenir les ouvriers. Même les enfants, trop jeunes pour comprendre pleinement les épreuves de leurs aînés, participaient en ramassant des pierres ou en aidant à planter des semences.

Malgré leurs efforts, le village portait encore les marques de sa déchéance. L'absence des foires et marchés, autrefois le poumon économique d'Abjat, continuait de peser lourdement. Sans cloches pour rythmer leur vie quotidienne, les habitants ressentaient un vide presque spirituel. Certains évoquaient timidement l'idée de collecter des fonds pour commander de nouvelles cloches, mais beaucoup considéraient cette idée comme un rêve lointain, presque irréalisable.

Si la reconstruction matérielle progressait lentement, la reconstruction morale était un défi encore plus grand. Chaque coin du village rappelait aux habitants ce qu'ils avaient perdu. L'église sans cloches, le pont de la Charelle où tant de sang avait coulé, et même les champs, où des corps avaient été enterrés en secret, portaient en eux les échos du passé.

Guillaume, bien qu'il ait survécu aux galères, ne retrouvait pas totalement sa place parmi les siens. Les années passées dans la douleur et l'humiliation l'avaient transformé. Il passait de longues heures assis près du Bandiat, regardant l'eau couler en silence.

Parfois, il murmurait des prières pour Simon, pour Jean, et pour tous ceux qui n'étaient plus là pour voir le village renaître.

Les anciens, quant à eux, racontaient les événements aux jeunes générations, insistant sur l'importance de ne jamais oublier. Le sacrifice de Simon et de tant d'autres était devenu un pilier de la mémoire collective du village. Ces récits, bien que douloureux, donnaient aussi aux enfants une fierté sourde, celle d'appartenir à un village qui avait osé se dresser contre l'injustice.

Malgré le poids de son passé, Abjat commençait lentement à voir poindre des lueurs d'espoir. Le retour des lettres d'abolition avait permis aux habitants de renouer avec leurs voisins et leurs partenaires commerciaux. Les villages environnants, bien que prudents, recommençaient à traiter avec eux, apportant un semblant de prospérité. De nouveaux champs furent cultivés, et les premières récoltes, bien que modestes, furent célébrées avec un mélange de soulagement et de joie.

Un jour, un marchand ambulant, venu pour la première fois depuis des années, proposa d'organiser une petite foire clandestine dans le village. Les habitants, bien qu'ils savaient que cela violait les termes de leur condamnation, acceptèrent avec enthousiasme. Ce jour-là, la place centrale d'Abjat retrouva une animation qu'elle n'avait pas connue depuis des lustres. Les rires des enfants, les cris des marchands, et les discussions animées des acheteurs semblaient effacer, ne serait-ce que pour un moment, le poids des années de douleur.

En 1644, Abjat n'était plus le village qu'il avait été avant la bataille du pont de la Charelle. Il avait changé, marqué par les sacrifices et les épreuves. Mais dans ce changement, il y avait aussi une force nouvelle, une résilience née de la douleur. Les habitants, bien que pauvres et éprouvés, se savaient capables de se relever, de reconstruire, et de tenir tête à l'adversité.

Les lettres d'abolition, bien que symboliques, représentaient bien plus que la fin d'une condamnation. Elles étaient un acte de réaffirmation, une promesse que, malgré tout, la lumière pouvait revenir.

Abjat, bien que meurtri, n'était pas brisé. Et dans le cœur de ses habitants, l'espoir renaissait peu à peu, comme une flamme vacillante, mais impossible à éteindre.

Chapitre 30 : Les Chants de la Vallée

Le printemps de 1645 apportait avec lui un souffle d'air nouveau à Abjat. Les champs, enfin cultivés à nouveau, s'étendaient comme une promesse de renaissance, et les habitants commençaient à relever la tête. Pourtant, les ombres des années passées pesaient encore lourdement sur les cœurs. Les cloches de l'église Saint-Jean demeuraient silencieuses, et le village n'était qu'un murmure de ce qu'il avait été autrefois.

C'est au crépuscule d'un jour d'avril qu'un vieil homme arriva au village. Son chariot bringuebalant était chargé de babioles, de couvertures élimées et d'un luth dont les cordes brillaient sous la lumière mourante. Il se présenta comme « Arnaud des Collines », un troubadour itinérant connu dans les villages environnants pour ses chansons et ses récits. Son visage marqué par le temps semblait porter mille histoires, et ses yeux pétillants trahissaient une curiosité insatiable. Arnaud fut accueilli avec méfiance. Les habitants d'Abjat, méfiants envers les étrangers depuis le jugement de 1641, le regardèrent de loin lorsqu'il installa son campement près de la place centrale. Mais le vieil homme n'était pas du genre à se laisser intimider. En souriant, il proposa des chansons et des contes en échange d'un bol de soupe ou d'un bout de pain.

Les premiers jours, Arnaud se contenta d'observer. Il écouta les conversations des villageois, les rumeurs murmurées et les récits fragmentés des événements tragiques. Il comprit rapidement que le village portait une blessure profonde, une histoire de sang, de perte et de silence. Fasciné, il commença à poser des questions, à recueillir les fragments de mémoire que chacun voulait bien lui offrir. Certains villageois, comme Guillaume ou Etienne, lui parlèrent des héros perdus, du sacrifice de Simon Masfranc, des galères, et des cloches emportées. D'autres, plus discrets, ne lâchèrent que des bribes, comme s'ils avaient peur que les mots ravivent de vieilles douleurs.

Arnaud, toutefois, n'était pas venu pour juger. Ses chansons avaient toujours eu pour but de capturer l'âme des lieux qu'il traversait, de transformer la douleur et la gloire en quelque chose qui transcenderait le temps. C'est ainsi qu'il se mit à composer.

Un soir, près du feu de camp, alors que quelques enfants et adultes curieux s'étaient rassemblés autour de lui, Arnaud saisit son luth. Après un bref prélude, il commença à chanter une mélodie douce et poignante qui semblait naître des collines elles-mêmes.

Entendez-vous, dans la vallée,

L'écho d'un chant que nul ne sait ? Des cloches brisées, des âmes enchaînées, Sous le poids des larmes versées.

Simon, le vaillant, leva son cœur, Pour ses frères, il brava la peur.
Sous le pont de la Charelle,
Coula le sang, rouge comme l'éternel. Mais la cloche a chanté une dernière fois, Portant l'espoir aux cieux d'Abjat. Et dans les galères, les âmes brisées Murmuraient encore leur liberté.

Ô, habitants d'Abjat, n'oubliez jamais, Les sacrifices de ceux tombés. Car leur courage, tel un feu sacré, Illumine vos nuits à jamais.

Sa voix tremblait légèrement, mais chaque mot portait une intensité qui sembla suspendre le temps. Quand il termina, un silence s'abattit sur l'assemblée. Les enfants restèrent immobiles, fascinés par l'histoire mise en musique, tandis que les adultes échangeaient des regards lourds de sens. La chanson, bien que belle, avait réveillé des émotions enfouies.

Dès le lendemain, le village entier parlait de la chanson. Certains, comme Guillaume, y voyaient un hommage poignant.

__ « Il a capturé ce que nous ressentons tous, » déclara-t-il en parlant à un groupe d'habitants réunis près de l'église. « Ces mots donnent une voix à ceux que nous avons perdus. »

Mais d'autres étaient moins enthousiastes.

__ « C'est une intrusion, » gronda Étienne, le forgeron. « Il n'était pas là. Il ne sait rien de ce que nous avons vécu. » D'autres partageaient cet avis, estimant qu'Arnaud, bien qu'animé de bonnes intentions, avait ranimé des souvenirs douloureux qu'ils préféraient oublier.

Claire, qui était revenu au village, comme elle le faisait pendant ses jours de repos, se trouvait entre deux eaux. Si les paroles avaient éveillé en elle une émotion qu'elle n'avait pas ressentie depuis longtemps, elles lui semblaient aussi crues, presque impudiques. Elle s'approcha d'Arnaud un après-midi, alors qu'il ajustait les cordes de son luth.

__ « Pourquoi cette chanson ? » demanda-t-elle doucement. « Pourquoi réveiller des plaies qui n'ont pas encore guéri ? »

Arnaud posa son instrument et la regarda longuement.

__ « Parce que les histoires comme celles d'Abjat ne doivent pas être oubliées. Le silence est noble, mais la mémoire, elle, est immortelle. Si votre douleur peut inspirer d'autres à résister, à se tenir debout face à l'injustice, alors cette douleur n'aura pas été vaine. »

Le soir suivant, plusieurs villageois se rassemblèrent autour d'Arnaud, chacun déterminé à exprimer son opinion. Guillaume prit la parole en premier. « Cette chanson nous honore. Elle transforme notre douleur en quelque chose de beau. Elle nous rappelle que nos sacrifices ne sont pas oubliés. »

Mais Étienne intervint, les poings serrés.

__ « Et que fait-elle d'autre ? Elle ouvre nos blessures. Elle donne à nos morts des visages que ce troubadour ne connaît pas. C'est une chanson pour les étrangers, pas pour nous. »

Le débat dura des heures. Certains, comme Claire, restèrent silencieux, tandis que d'autres prirent part aux échanges avec passion. Arnaud, lui, écouta attentivement, prenant note des réactions de chacun.

Ce n'était pas la première fois que ses chansons provoquaient de telles divisions, mais il savait que les débats, eux aussi, faisaient partie de la guérison.

Le lendemain matin, Arnaud annonça qu'il partait pour un autre village. Avant de quitter Abjat, il réunit ceux qui le souhaitaient près du Bandiat.

__ « Cette chanson, » dit-il, « je ne l'ai pas composée pour moi. Elle appartient à Abjat. Que vous choisissiez de la chanter ou de la garder en silence, c'est votre choix. Mais sachez que, où que je passe, je dirai à tous que ce village a connu l'injustice et s'est tenu debout malgré tout. »

Il laissa derrière lui une copie écrite de la chanson, qu'il remit à Guillaume. Puis, en s'éloignant, il fit résonner quelques notes de son luth, un dernier hommage à la vallée qui l'avait inspiré.

La chanson des **Cloches Perdues** devint un symbole ambigu pour les habitants d'Abjat. Certains la chantaient lors de veillées ou de cérémonies, y trouvant une forme de catharsis. D'autres, en revanche, la fuyaient, estimant qu'elle appartenait davantage aux étrangers qu'aux véritables survivants.

Mais avec le temps, les mots d'Arnaud s'enracinèrent dans la mémoire collective. Et chaque fois qu'un enfant posait des questions sur les événements de 1641, quelqu'un, quelque part, murmurait les paroles du vieux troubadour, faisant revivre une histoire que le silence seul n'aurait pas pu préserver.

Chapitre 31 : Le témoin silencieux

Un jour d'automne alors que la lumière dorée du soleil caressait les champs et que les vents du Sud portaient une étrange mélancolie, un vieil homme arriva à Abjat. Appuyé sur un bâton de noyer poli par le temps, il avançait lentement, traînant un sac de toile usé sur son dos voûté. Les enfants du village, intrigués, le suivirent à distance respectueuse, chuchotant entre eux. Personne ne semblait le reconnaître. Pourtant, lorsqu'il atteignit la place centrale, il s'arrêta devant l'église Saint-Jean et murmura, presque pour lui-même :
__ « Ce lieu… n'a pas changé. Mais moi, je reviens changé. »

C'était un survivant, un témoin du passé. Son nom était André Morel. Il avait quitté Abjat après le jugement de 1641, emportant avec lui une douleur trop lourde à porter. Maintenant, des décennies plus tard, il revenait, chargé d'un secret.

Les villageois s'attroupèrent rapidement autour de lui. Les plus âgés observaient son visage, espérant y trouver un souvenir. Étienne, le forgeron, rompit le silence.
__ « Vous êtes d'ici, n'est-ce pas ? » demanda-t-il, scrutant l'homme d'un regard méfiant.

André acquiesça lentement.

__ « Je suis né ici, dans une maison au bord du Bandiat. J'ai vu les jours où vos cloches sonnaient, où les foires étaient pleines de rires. J'ai aussi vu… le jour où tout cela s'est brisé. »

Ces mots, prononcés avec une gravité tremblante, figèrent l'assemblée. Guillaume, toujours prompt à apaiser les tensions, prit la parole.

__ « Si vous avez des souvenirs du jugement, nous avons besoin de les entendre. Trop de questions restent sans réponse. » André hocha la tête.

__ « Alors, permettez-moi de parler. Mais sachez que la vérité n'apporte pas toujours la paix. »

Dans l'église, une veillée fut organisée. Les habitants s'entassèrent sur les bancs, certains par curiosité, d'autres par besoin de comprendre. André, assis près de l'autel, paraissait à la fois fragile et imposant, comme un arbre noueux qui avait résisté à d'innombrables tempêtes.

Il commença par évoquer son enfance à Abjat, les jours d'innocence où le son des cloches rythmait la vie quotidienne. Mais rapidement, son ton changea lorsqu'il aborda les années précédant le jugement.

__ « Vous connaissez tous l'histoire officielle. La couronne a puni Abjat pour sa rébellion. Mais la vérité… est bien plus complexe. »

Il expliqua qu'avant le jugement, des tensions existaient non seulement entre le village et les autorités royales, mais aussi entre les habitants eux-mêmes. Les familles influentes d'Abjat avaient joué un rôle dans les décisions qui avaient conduit à la révolte. Il mentionna des réunions secrètes, des alliances discrètes, et des promesses qui n'avaient pas été tenues.

__ « Ce n'est pas seulement la couronne qui vous a trahis. Ce sont aussi ceux qui vivaient parmi vous. »

Le récit d'André jeta un éclairage troublant sur les nobles de la région, en particulier les Vaucocour. Il affirma que ces derniers, bien qu'apparaissant neutres, avaient secrètement collaboré avec les magistrats de Nérac pour protéger leurs propres terres et privilèges.

__ « Les Vaucocour ont livré des noms, » déclara André, sa voix empreinte d'une colère contenue. « Ils ont désigné Simon Masfranc comme meneur. Pas parce qu'il était le plus coupable, mais parce qu'il était le plus dangereux pour leur influence. »

Ces mots provoquèrent une onde de choc parmi les villageois. Certains murmurèrent entre eux, d'autres protestèrent ouvertement. Guillaume, tentant de calmer les esprits, demanda des preuves.

André sortit alors une lettre jaunie par le temps, qu'il avait conservée depuis son départ. Elle portait le sceau des Vaucocour et contenait des instructions adressées à un magistrat, mentionnant des « individus perturbateurs » à surveiller. Parmi les noms figurait celui de Simon.

À mesure qu'André parlait, les souvenirs douloureux refirent surface pour de nombreux habitants. Louise, dont le frère avait été envoyé aux galères après le jugement, se leva, les larmes aux yeux.

__ « Alors tout cela… tout ce que nous avons perdu… c'était pour protéger les intérêts de quelques privilégiés ? » André baissa les yeux.

__ « Oui. Mais comprenez que leur peur était réelle. Ils savaient que la couronne ne tolérerait aucune faiblesse. »

Claire, jusque-là silencieuse, demanda d'une voix tremblante : __ « Et les cloches ? Pourquoi ont-elles été prises ? Était-ce vraiment une punition ? »

André sembla hésiter, puis répondit :

__ « Les cloches ont été prises non seulement pour vous humilier, mais aussi pour enrichir ceux qui savaient où les envoyer. Elles ont été fondues en partie pour financer la guerre. Mais certaines… ont survécu. »

Chapitre 32 : Le Sanctuaire des Âmes perdues

L'été de 1644 embrassait Abjat d'une lumière chaude et dorée, mais les ombres du passé continuaient de planer sur le village. Bien que les lettres d'abolition aient restauré leur liberté aux yeux du roi, les cœurs des habitants portaient encore les marques profondes des souffrances passées. Les jours se passaient à reconstruire, mais les nuits, elles, appartenaient aux âmes perdues. Et le bord du Bandiat, ce lieu de vie et de mémoire, devint un sanctuaire pour ces âmes errantes.

Les eaux du Bandiat, qui avaient vu tant de sang se mêler à leur courant, chantaient désormais un hymne doux et mélancolique. Les villageois s'y rendaient souvent pour trouver un peu de paix. Ils disaient que la rivière portait en elle les voix des disparus, que son écoulement apaisé résonnait comme une promesse que, malgré tout, la vie continuait.

C'est Étienne, qui fut le premier à remarquer les changements étranges qui s'opéraient au bord du Bandiat. Un soir, alors qu'il s'y promenait pour apaiser son esprit tourmenté, il vit une lumière pâle danser sur l'eau. Ce n'était pas le reflet des étoiles, ni celui de la lune. C'était une lumière douce, tremblotante, comme une bougie vacillante dans le vent.

Il s'arrêta, fasciné. La lumière semblait l'appeler, et il s'avança jusqu'au bord de l'eau. Là, dans le silence de la nuit, il crut entendre un murmure : un nom. « Simon. » Étienne se figea. C'était impossible, mais il sentit une chaleur familière monter en lui, comme si son camarade perdu lui adressait un message à travers le voile du monde.

Bientôt, les récits de lumières dansantes et de murmures au bord du Bandiat se multiplièrent. Les anciens du village y voyaient un signe que les âmes de ceux qui avaient donné leur vie pour Abjat n'étaient pas en repos. Les nuits de pleine lune, les habitants se rassemblaient discrètement près de la rivière, portant des lanternes et des bougies, espérant capter un éclat de ces présences.

Claire, revenue brièvement au village après avoir appris l'arrivée des lettres d'abolition, trouva dans ces veillées un réconfort inattendu. Elle s'assit un soir sur une pierre plate près du Bandiat, serrant dans sa main la croix en bois que Jean lui avait laissée. La rivière semblait murmurer des secrets qu'elle seule pouvait entendre, et à cet instant, elle sentit une paix qu'elle n'avait pas connue depuis des années.

Les autres villageois observaient Claire avec respect, mais aussi avec une distance respectueuse. Pour eux, elle portait en elle le poids d'un chagrin qu'ils ne pouvaient que deviner. Cette nuit-là, alors que le vent jouait doucement dans ses cheveux, elle crut voir une silhouette indistincte de l'autre côté de la rivière. Était-ce Jean ? Était-ce une illusion née de son propre désir ? Elle n'aurait su le dire, mais elle se sentit étrangement apaisée.

Pour les enfants du village, ces récits prirent une dimension presque mythologique. Ils parlaient du Bandiat comme d'un fleuve sacré, un lieu où les âmes des ancêtres continuaient de veiller sur eux. Ces histoires, bien que souvent exagérées, créaient un lien puissant entre les générations, un rappel constant de la force et du sacrifice qui avaient permis à Abjat de survivre.

Un vieil homme, ancien témoin des événements de 1641, racontait souvent aux jeunes que les lumières sur l'eau étaient les esprits des morts qui dansaient pour célébrer la liberté du village. Il disait que chaque lumière représentait une vie donnée pour Abjat, et que ces âmes, bien que parties, continuaient de protéger leurs descendants. — « Tant que ces lumières brilleront, » murmurait-il, « Abjat vivra. »

Ces mots, simples, mais puissants, résonnaient profondément dans les cœurs de ceux qui les écoutaient.

Si la rivière était devenue un sanctuaire spirituel, le village luimême continuait de porter les stigmates de son passé. Les habitants travaillaient sans relâche pour rebâtir leurs maisons et leurs vies, mais les cicatrices étaient visibles dans chaque pierre, dans chaque regard. Pourtant, ces veillées près du Bandiat apportaient une forme de guérison collective.

Les familles des disparus, bien qu'encore accablées par le deuil, trouvaient un certain réconfort dans l'idée que leurs proches n'étaient pas oubliés. Les lumières et les murmures de la rivière devenaient un langage secret entre les vivants et les morts, un fil invisible qui les reliait au-delà du temps.

Un matin, alors que l'aube peignait le ciel de teintes rosées, Guillaume, l'instituteur, s'aventura seul au bord du Bandiat. Il avait entendu parler des lumières, mais il n'avait jamais eu le courage de les affronter directement. Ce jour-là, poussé par une impulsion qu'il ne comprenait pas, il s'agenouilla près de l'eau et ferma les yeux.

Il ne vit pas de lumière, mais il sentit une chaleur envahir son cœur. Une chaleur douce, apaisante, comme une main invisible posée sur son épaule. Les larmes coulèrent librement sur ses joues, et il murmura une prière, non pour lui-même, mais pour tous ceux qu'il avait perdus.

Lorsqu'il se releva, il se tourna vers le village et vit, pour la première fois depuis des années, Abjat sous un jour différent. Les maisons, bien que modestes, semblaient solidement ancrées dans le sol. Les champs, encore en friche pour certains, promettaient une récolte prochaine. Et les visages des habitants, bien que marqués par les épreuves, reflétaient une résilience indéniable.

Guillaume comprit alors que, malgré tout, le village était vivant. Et tant qu'il y aurait des lumières sur le Bandiat, tant qu'il y aurait des âmes pour se souvenir, Abjat continuerait de se relever.

À mesure que les mois passaient, les lumières sur le Bandiat devinrent un symbole d'espoir pour le village. Elles rappelaient aux habitants que, même dans les moments les plus sombres, il existait une force invisible qui les soutenait. Les veillées, autrefois empreintes de douleur, devinrent des moments de communion et de gratitude.

Abjat, bien que transformé par les épreuves, trouva peu à peu une nouvelle identité. Ce n'était plus seulement un village marqué par le passé, mais un lieu où l'histoire et la mémoire se mêlaient pour construire un avenir plus fort.

Et à chaque crépuscule, lorsque le soleil se couchait et que les premières étoiles apparaissaient, les habitants se tournaient vers le Bandiat, cherchant dans ses eaux les reflets de ces âmes qui, bien que disparues, continuaient de veiller sur eux.

Chapitre 33 : L'Écho des Cloches perdues

L'annonce du marchand itinérant était tombée sur le village comme un éclair dans un ciel lourd. Les murmures et les regards échangés à l'auberge témoignaient de l'espoir fragile qu'il venait de ranimer. Pendant des décennies, les habitants d'Abjat avaient porté en silence la douleur de la perte de leurs cloches. Ces objets n'étaient pas de simples instruments de bronze, mais les gardiennes sonores de leur foi et de leur vie collective. Leur disparition avait laissé un vide que ni les prières ni le temps n'avaient pu combler.

Dans l'église Saint-Jean, ce soir-là, l'assemblée improvisée était empreinte d'une solennité palpable. La lumière vacillante des bougies jetait des ombres mouvantes sur les murs de pierre, tandis que Guillaume, debout près de l'autel, fixait l'assemblée. Sa voix résonnait avec clarté et conviction :

__ « Nous devons aller chercher ces cloches. Même si elles ne sont pas les nôtres, nous devons en avoir le cœur net. Abjat mérite de savoir si cette part de son âme existe encore quelque part. »

Le débat qui suivit fut intense. Certains habitants, fatigués de lutter contre le passé, s'opposaient à l'idée.

__ « Ce voyage est une perte de temps et de ressources, » dit un vieil homme. « Même si ces cloches sont les nôtres, qu'est-ce que cela changera ? » D'autres, cependant, voyaient en cette quête une lueur d'espoir. Étienne, le forgeron, fut le premier à se lever.

__ « Si nous pouvons ramener nos cloches, cela montrera que nous n'avons jamais cédé. »

Claire, d'abord réticente, finit par céder à la persuasion de Guillaume.

__ « Si je peux aider à défendre cette cause, alors je viens, » dit-elle, la voix ferme. Deux autres villageois, Marc, un jeune agriculteur, et Louise, une femme énergique qui avait vu son frère emporté après le jugement, se joignirent à eux.

Le groupe se forma donc, cinq volontaires prêts à porter le poids des espoirs d'Abjat sur leurs épaules.

Aux premières lueurs de l'aube, le village se rassembla pour les voir partir. Le groupe, vêtu simplement, portait avec eux quelques provisions, des outils, et des souvenirs. L'air était lourd de prières muettes et d'une étrange expectative.

Le chemin s'avéra rude et sinueux. Les plaines verdoyantes laissèrent place à des forêts épaisses où la lumière du soleil peinait à percer. Les nuits autour du feu de camp étaient des moments d'introspection. Guillaume évoquait souvent le passé, racontant les jours où les cloches rythmaient la vie du village. Étienne, toujours pragmatique, imaginait déjà les réparations nécessaires pour les réinstaller dans le clocher.

Louise, quant à elle, semblait absorbée par une tristesse plus profonde.

__ « Ces cloches, » murmura-t-elle une nuit, « elles étaient la voix de ceux que nous avons perdus. Les entendre à nouveau… ce serait comme les ramener parmi nous. »

Lorsque le groupe atteignit enfin le petit village de Miallet mentionné par le marchand, ils furent saisis par la simplicité du lieu. L'église, construite en pierre brute, se dressait, modeste, mais imposante dans sa tranquillité.

C'est Étienne qui aperçut les cloches en premier, leurs contours familiers visibles dans le clocher. Il s'arrêta net, sa main se crispant sur son bâton.

__ « Ce sont elles, » murmura-t-il, sa voix emplie d'une certitude presque douloureuse.

Guillaume conduisit le groupe jusqu'au curé local, père Jacques, un homme au visage marqué par le temps, mais au regard bienveillant.

__ « Ces cloches, » commença Guillaume avec respect, « appartenaient autrefois à notre église. Nous croyons qu'elles ont été prises après un jugement injuste il y a des années. Nous sommes ici pour vérifier et, si possible, les ramener à leur maison. »

Le Père Jacques, bien que courtois, répondit avec prudence. __ « Ces cloches ont été offertes à notre communauté par une famille noble. Elles sont devenues une part essentielle de notre vie ici. »

Avec l'accord du curé, Étienne monta dans le clocher pour examiner les cloches de près. Les inscriptions gravées sur le bronze ne laissèrent aucun doute.

__ « Le nom de Saint-Jean, la date de leur fonte… c'est elles, Guillaume. Ce sont bien nos cloches. »

L'annonce déclencha une série de discussions animées. Certains villageois montagnards comprenaient l'importance de ces cloches pour Abjat, mais d'autres étaient fermement opposés à leur départ.

__ « Ces cloches sont ici depuis des années. Elles sont devenues notre voix, » argumenta un ancien.

__ « Mais elles ne sont pas à vous ! Elles ont été volées, » rétorqua Étienne, les poings serrés.

Face à l'impasse, Claire se leva lors d'une réunion dans l'église. Sa voix, calme, mais empreinte d'émotion, coupa court aux murmures.

__ « Nous comprenons ce qu'elles représentent pour vous. Nous savons que vous les aimez, tout comme nous les aimions autrefois. Mais elles portent en elles une histoire qui est la nôtre, une histoire de souffrance et de foi. Si vous acceptez de nous les rendre, nous promettons de tout faire pour que votre communauté reçoive de nouvelles cloches. »

Sa proposition, bien que sincère, ne parvint pas à convaincre totalement. Certains villageois étaient prêts à céder, mais la majorité resta inflexible.

Après plusieurs jours de négociations infructueuses, Guillaume comprit que la bataille était perdue. Il remercia le Père Jacques pour son accueil, mais son visage trahissait sa douleur.

Lorsque le groupe quitta le village, les cloches résonnèrent derrière eux, comme un adieu cruel. Chaque tintement semblait creuser un peu plus profondément la blessure dans leur cœur.

Le retour fut empreint d'un lourd silence. Aucun récit de voyage ne fut partagé autour du feu. L'échec pesait sur chacun, et même Guillaume, d'ordinaire optimiste, semblait abattu. À leur arrivée à Abjat, les regards des villageois se chargèrent d'un mélange de déception et de compassion. Guillaume, rassemblant ses forces, déclara devant l'église :

__ « Nous n'avons pas ramené les cloches, mais nous savons qu'elles existent, et qu'elles continuent de chanter. C'est une consolation amère, mais une consolation tout de même. Nous continuerons à avancer, comme nous l'avons toujours fait. »

Malgré l'échec de leur quête, cette tentative insuffla une nouvelle énergie à la communauté. Le simple fait de savoir que leurs cloches vivaient encore, même ailleurs, devint un symbole. Guillaume, inspiré par cette expérience, proposa de créer un nouveau rituel, où, chaque dimanche les villageois rassembleraient des objets porteurs de mémoire pour les bénir dans l'église.

La quête des cloches n'avait pas atteint son objectif, mais elle avait ravivé l'esprit d'Abjat. Et dans le silence du clocher, une promesse s'éleva : celle de ne jamais laisser tomber l'écho de leur histoire.

Chapitre 34 : Les Larmes d'un forgeron

Le fracas des marteaux résonnait dans la forge d'Étienne, se mêlant au crépitement du feu. Dans ce chaos harmonieux, il trouvait une échappatoire, une catharsis. Étienne, le forgeron d'Abjat, n'était pas seulement un artisan ; il était une âme torturée, un homme marqué par les pertes que son village avait subies. Depuis le jugement de

1641, il portait un fardeau invisible : celui d'avoir survécu alors que d'autres avaient péri. Les cloches disparues, symbole de leur identité collective, hantaient ses nuits et s'invitaient dans ses rêves.

Un soir, alors qu'il se tenait seul devant l'église Saint-Jean, contemplant son clocher silencieux, une idée germa dans son esprit. Il ne pouvait pas ramener les cloches perdues, mais il pouvait en créer une nouvelle. Pas pour remplacer celles qui avaient disparu, elles étaient irremplaçables, mais pour redonner une voix au village, un son qui porterait leur mémoire.

Étienne en parla d'abord à Guillaume.

— « Une cloche, » dit-il, ses mains encore noires de suie, « pas pour effacer le passé, mais pour le porter. Une cloche forgée de mes mains, pour Abjat. »

Guillaume hocha lentement la tête.

— « Si quelqu'un peut le faire, c'est toi, Étienne. Mais ce ne sera pas facile. Une cloche, c'est plus qu'un simple morceau de métal. C'est une âme qu'on forge. »

Ces mots ne firent qu'attiser la détermination d'Étienne. Ce projet serait sa rédemption, sa contribution à la renaissance d'Abjat.

Le lendemain, Étienne se mit à l'œuvre. La première étape était de réunir les matériaux. Il parcourut les maisons du village, demandant aux habitants de lui donner des objets en bronze : des casseroles usées, des chandeliers cassés, et même des bijoux abîmés. Chacun offrit ce qu'il pouvait, certains avec enthousiasme, d'autres avec une pointe de scepticisme.

— « Une cloche forgée de nos propres mains, » murmura Claire en déposant un médaillon dans la pile de métal. « Peut-être que c'est ce qu'il nous faut. »

La forge devint un sanctuaire. Étienne y passa ses jours et ses nuits, manipulant le feu avec une précision presque religieuse. Il fit fondre le bronze dans un creuset massif, mélangeant les fragments offerts par le village. Chaque étincelle qui jaillissait semblait contenir une prière, un fragment d'espoir.

Mais le travail n'était pas sans obstacle. Le premier moulage échoua lamentablement. La cloche, une fois refroidie, était fissurée, incapable de produire le moindre son. Étienne, épuisé, s'assit sur un tabouret de bois, le visage caché entre ses mains. Il sentait le poids des attentes du village sur ses épaules.

« Peut-être que ce n'est pas possible, » dit-il à voix basse, ses mots se perdant dans la chaleur étouffante de la forge. « Peut-être que je ne suis pas à la hauteur. »

Guillaume vint le voir ce soir-là. « Tu as déjà forgé des outils, des armes. Tu as façonné ce dont ce village avait besoin pour survivre. Cette cloche n'est qu'un autre outil, Étienne. Un outil pour l'âme. »

Ces paroles ravivèrent une étincelle dans le cœur du forgeron. Il se releva, décidé à recommencer.

Lorsqu'il refit fondre le bronze, Étienne prit soin d'ajouter un fragment du passé : un petit morceau de métal provenant du fragment de cloche retrouvé au château des Vaucocour. Ce geste était chargé de symbolisme. En intégrant une relique de l'ancienne cloche, il espérait donner à la nouvelle une continuité, un lien tangible avec l'histoire d'Abjat.

À mesure que le bronze liquéfié tournoyait dans le creuset, Étienne récitait des prières silencieuses, des pensées pour ceux qui avaient été perdus. Chaque coup de marteau était une invocation, un appel au passé pour qu'il guide ses mains.

Le jour du moulage final, le village entier se rassembla autour de la forge. Étienne, le visage marqué par des jours sans sommeil, supervisait chaque étape avec une précision maniaque. Le moule, soigneusement préparé, était prêt à accueillir le bronze en fusion.

Lorsque le métal liquide fut versé, un silence s'installa. Les habitants observaient, comme si le destin d'Abjat dépendait de cet instant précis. Étienne, malgré sa fatigue, sentit une étrange sérénité l'envahir. Ce n'était plus seulement son projet ; c'était celui du village tout entier.

Le bronze mit des jours à refroidir. Chaque matin, Étienne vérifiait le moule, sa patience mise à rude épreuve. Enfin, le jour de la révélation arriva.

Lorsque le moule fut brisé, une cloche magnifique apparut. Sa surface, encore brute, portait les marques du feu, mais elle était entière, solide. Étienne se laissa tomber à genoux, les larmes coulant librement sur son visage. C'étaient des larmes de soulagement, mais aussi de mémoire. Cette cloche représentait tout ce qu'il avait perdu, tout ce que le village avait enduré.

Sur le bord de la cloche, une inscription soigneusement gravée portait ces mots :

« **Pour ceux qui ont donné leur voix pour que la nôtre subsiste.** »

Le jour où la cloche fut installée dans le clocher de Saint-Jean, le village entier se réunit pour assister à son premier tintement. Étienne, encore couvert de suie, tira la corde avec précaution. Le son qui en émergea était clair, puissant, vibrant. Il semblait emplir toute la vallée, éveillant même les collines endormies.

Les habitants restèrent immobiles, certains les larmes aux yeux, d'autres serrant la main de leurs proches. Ce son, bien que nouveau, portait l'âme des anciennes cloches. Il parlait d'espoir, de résilience, et de la capacité de renaître après les pires épreuves. La cloche d'Étienne devint bien plus qu'un simple instrument. Elle devint un symbole. À chaque tintement, elle rappelait au village qu'il était possible de reconstruire, même après les pertes les plus dévastatrices.

Étienne, bien qu'épuisé, retrouvait une paix intérieure qu'il n'avait pas connue depuis des années.

__ « Ce n'est pas seulement ma cloche, » déclara-t-il un jour à Guillaume. « C'est celle d'Abjat. Elle est faite de nous tous. »

Ainsi, le travail acharné d'un forgeron transforma non seulement le son du village, mais aussi son âme. Les larmes d'Étienne, forgées dans le feu et le bronze, devinrent une mélodie éternelle qui résonnait dans les cœurs de tous ceux qui l'entendaient.

Chapitre 35 : La fin de la malédiction

La nuit était tombée sur Abjat, enveloppant le village dans une obscurité presque oppressante. Le Bandiat, habituellement paisible, rugissait ce soir-là comme une bête sauvage. Le vent hurlait à travers les collines, secouant les branches des arbres et faisant claquer les volets des maisons. C'était une nuit différente, une nuit où les forces invisibles semblaient en mouvement, convergeant vers un point précis : Claire.

Depuis qu'elle avait découvert le manuscrit, Claire n'avait cessé de se sentir tiraillée par un mélange de peur et de détermination. Les mots du vieux prêtre y résonnaient encore : « La cloche porte la voix de Dieu, mais aussi celle des âmes perdues. » Les visions étaient devenues plus claires, plus insistantes, comme si elles guidaient chacun de ses pas. Jean, dans ses rêves, ne faisait plus que tendre la main.

Maintenant, il parlait. Il lui disait : *« Tu sais ce que tu dois faire, Claire. Libère-nous. »*

Elle s'était préparée en silence, le cœur battant, rassemblant son courage. Cette nuit-là, elle se rendit au Saut du Chalard, l'endroit où la cloche avait sombré des années auparavant. Le chemin qui longeait la rivière était escarpé, éclairé uniquement par la lueur froide de la lune. Elle portait avec elle une lanterne vacillante, le manuscrit roulé sous son bras, et une croix qu'elle avait trouvée dans l'église, un vestige d'un autre temps.

Arrivée au bord du Saut du Chalard, Claire s'arrêta, contemplant la cascade tumultueuse. L'eau déferlait en grondant, projetant une fine bruine dans l'air. La cloche était là, elle le savait. Enfoncée dans les profondeurs sombres, prisonnière de la rivière, elle vibrait d'une énergie presque tangible. Claire s'agenouilla sur un rocher glissant, serrant la croix entre ses mains.

— « Jean, » murmura-t-elle, sa voix se perdant dans le rugissement de l'eau. « Si tu es là, guide-moi. »

Une bourrasque soudaine fit vaciller sa lanterne, mais elle ne détourna pas le regard. Alors, quelque chose changea. L'eau sembla ralentir un instant, et une lumière étrange, presque irréelle, illumina la surface du Bandiat. Une silhouette se dessina, indistincte, mais familière. Jean. Il se tenait là, de l'autre côté de la rivière, le regard intense.

— « Claire, » dit-il, sa voix portée par le vent. « Ce n'est pas seulement pour moi. C'est pour tous. Libère-nous. »

Alors que Jean s'effaçait lentement, une autre figure apparut, plus sombre, plus imposante. François de Vaucocour, ou du moins ce qu'il en restait. Sa silhouette était voilée d'ombres, son visage marqué par une douleur et une colère indicible. Il semblait lutter contre une force invisible, ses mains tendues comme pour saisir quelque chose qui lui échappait.

— « Pourquoi es-tu là ? » cria-t-il, sa voix résonnant comme un coup de tonnerre. « Pourquoi ne me laisses-tu pas en paix ? »

Claire se releva, tremblante, mais déterminée. Elle serra la croix dans sa main, comme un talisman contre l'obscurité qui émanait de Vaucocour.

— « Ce n'est pas moi qui te retiens ici, François, » répondit-elle, sa voix claire malgré sa peur. « C'est toi. Tes actes, tes choix. Mais il est encore temps de trouver la paix. » Vaucocour éclata d'un rire amer, un son qui fit frissonner Claire. Mais dans son rire, elle percevait autre chose : de la tristesse, de la fatigue.

— « La paix ? » murmura-t-il. « Pour moi ? Il n'y a que la damnation. »

Claire savait que le moment était venu. Tout autour d'elle, la nature semblait suspendue dans un état d'attente. Le Bandiat, pourtant tumultueux quelques instants plus tôt, semblait retenir son souffle, ses eaux scintillant sous une lumière étrange, irréelle. Le vent, qui hurlait entre les arbres, s'était apaisé, et le bruissement des feuilles s'était tu. C'était comme si le monde entier assistait à cet instant, prêt à basculer dans un nouvel ordre.

Elle posa le manuscrit sur un rocher plat, ses mains tremblantes, mais décidées. Chaque mouvement semblait empreint d'une solennité particulière. L'étoffe usée qui couvrait les pages anciennes semblait presque vibrer sous ses doigts, comme si les mots qu'elle s'apprêtait à prononcer recelaient une énergie qu'elle ne comprenait pas encore. Elle tourna délicatement les pages jusqu'à une section marquée par un coin replié, là où le prêtre anonyme avait consigné une prière pour les âmes perdues.

Claire inspira profondément, laissant l'air froid remplir ses poumons. Elle savait qu'il n'y aurait pas de retour en arrière. Les mots, lorsqu'ils franchiraient ses lèvres, porteraient un poids qu'elle seule pouvait assumer. Le grondement de la rivière semblait s'intensifier, mais elle ne détourna pas son regard du manuscrit. L'air autour d'elle semblait chargé d'électricité, une tension palpable qui lui donnait la chair de poule.

— « Seigneur, pardonne les âmes égarées, » commença-t-elle, sa voix résonnant plus fort qu'elle ne l'avait prévu.

Les mots, bien que simples, semblaient emplis d'une puissance ancienne. Ils flottaient dans l'air, se mêlant au bruit du Bandiat. Chaque syllabe paraissait vibrer, résonner, se répercuter dans la vallée comme un écho lointain. Claire poursuivit, sa voix devenant plus assurée à chaque mot.

— « Libère-les de leurs chaînes terrestres. Accorde-leur la lumière et la paix éternelles. »

Au moment où elle prononça ces mots, un frisson parcourut le sol. Ce n'était pas une secousse violente, mais un tremblement léger, comme si la terre elle-même répondait à son appel. La lumière sur la rivière, qui, jusqu'alors n'était qu'un éclat diffus, s'intensifia soudainement, inondant le paysage d'une lueur dorée. Claire plissa les yeux pour protéger son regard de cet éclat presque aveuglant.

La silhouette de Jean, jusque-là floue et fragile, devint plus nette. Ses traits étaient calmes, empreints d'une sérénité qu'elle ne lui avait jamais vue auparavant. Il semblait flotter au-dessus de l'eau, son regard rivé sur elle, plein de gratitude et de tendresse. Claire sentit une vague d'émotion l'envahir, mais elle ne s'arrêta pas.

Derrière Jean, une autre figure vacillait, sombre et menaçante. François de Vaucocour. Son apparence était floue, son corps enveloppé d'ombres mouvantes. Son visage, autrefois empreint d'arrogance, était marqué par une douleur et une fureur presque palpables. Il semblait lutter, non pas contre Claire, mais contre les mots qu'elle prononçait. Chaque phrase semblait le heurter, le forcer à reculer.

Claire se redressa, ses épaules raidies par une nouvelle détermination qu'elle ne savait pas posséder. Sa voix, portée par une force intérieure qu'elle ne comprenait pas entièrement, se fit plus forte. — « Acceptez votre passé, » cria-t-elle, les yeux fixés sur Vaucocour.

« Et laissez-le derrière vous. »

Ces mots firent vibrer l'air autour d'elle. Une bourrasque soudaine s'éleva, soufflant à travers les arbres et dispersant les gouttes de la cascade en un nuage brillant. Vaucocour poussa un cri déchirant, un mélange de rage et de désespoir. Il tendit une main vers Claire, mais elle resta immobile, le regard fixe, refusant de céder à la peur. La lumière autour de Jean s'intensifia, enveloppant peu à peu la silhouette de Vaucocour. Ce dernier semblait se débattre contre une force invisible, mais ses mouvements perdaient en intensité. Il tomba à genoux, ses mains couvrant son visage comme pour se protéger de l'éclat qui l'entourait.

— « Je ne peux pas… » murmura-t-il, sa voix à peine audible, brisée. « Je ne mérite pas la paix. »

Claire, les larmes aux yeux, sentit une profonde empathie pour cet homme qu'elle avait appris à haïr. Malgré tout ce qu'il avait fait, elle percevait en lui une âme tourmentée, un être prisonnier de ses propres choix. Elle s'avança d'un pas, tenant toujours la croix serrée contre sa poitrine.

— « Ce n'est pas à toi de juger si tu mérites la paix, » dit-elle, sa voix douce, mais ferme. « Mais tu dois lâcher prise. »

Les mots semblaient pénétrer Vaucocour comme des flèches. Il leva les yeux vers elle, et, pour la première fois, elle vit autre chose dans son regard : un mélange de regret et de soulagement. Il hocha lentement la tête, comme s'il acceptait enfin l'inévitable.

La lumière autour de lui devint aveuglante, l'enveloppant entièrement. Claire détourna les yeux, incapable de supporter l'éclat. Lorsque la lumière s'éteignit, Vaucocour avait disparu. Il n'y avait plus que Jean, toujours immobile, flottant au-dessus de l'eau.

Claire tomba à genoux, épuisée. Les mots qu'elle avait prononcés semblaient encore résonner dans l'air, mais le grondement de la rivière reprenait doucement le dessus, comme si la nature elle-même retrouvait son équilibre. Jean s'approcha, son visage calme et apaisé.

— « Merci, Claire, » murmura-t-il. Sa voix était douce, emplie de tendresse. « Grâce à toi, nous sommes libres. »

Puis, lentement, il disparut à son tour, emporté par une brise légère qui fit frissonner la vallée. Claire, les larmes coulant sur ses joues, posa une main sur son cœur. Elle savait que quelque chose avait changé, que la malédiction qui pesait sur Abjat et sur elle-même venait d'être levée.

Elle se redressa, vacillant légèrement sur ses jambes. La lumière du Bandiat était revenue à son éclat habituel, et le silence qui s'était installé était paisible, presque sacré. Claire regarda la rivière une dernière fois, murmurant une prière silencieuse avant de quitter le Saut du Chalard, laissant derrière elle les ombres du passé.

Le silence retomba sur Abjat, mais ce n'était plus un silence oppressant, lourd de chagrins et de souvenirs amers. C'était un silence doux, vibrant d'une sérénité nouvelle, comme si le village tout entier avait pris une longue inspiration pour la première fois depuis des décennies. Les collines enveloppaient la vallée dans une obscurité tranquille, tandis que le Bandiat coulait à nouveau paisiblement, son murmure harmonieux se mêlant au souffle léger du vent.

Claire était assise sur un rocher, le regard perdu dans le reflet argenté de la lune sur la rivière. La lumière douce semblait danser sur les flots, effaçant les ombres, éclairant la surface comme une promesse silencieuse d'un avenir plus clair. La fatigue la gagnait, mais ce n'était pas une fatigue accablante. C'était une lassitude bienfaisante, celle qui suit une tâche accomplie, un poids immense enfin déposé.

Elle porta une main à sa poitrine, là où son cœur battait doucement, libre de l'oppression qui l'avait habitée pendant si longtemps. Elle savait, au plus profond d'elle-même, que la malédiction était levée. Les âmes tourmentées d'Abjat – celles de

Jean, de Simon Masfranc, et même celle de François de Vaucocour – avaient trouvé leur repos. Et dans cette délivrance collective, Claire avait aussi trouvé la sienne. Pour la première fois depuis des années, elle se sentait légère, presque entière.

La nuit semblait l'envelopper d'une étreinte protectrice. Chaque souffle du vent caressant son visage lui rappelait qu'elle faisait partie d'un tout bien plus grand qu'elle. Le Bandiat, témoin silencieux de tant de drames, reflétait la lumière des étoiles comme une mer de promesses oubliées. Il y avait dans son murmure quelque chose de rassurant, presque maternel, comme si la rivière elle-même la remerciait. Elle ferma les yeux un instant, écoutant les sons autour d'elle. Les grillons chantaient doucement, et au loin, un hibou lança son cri solitaire. C'était un monde vivant, vibrant, et pourtant paisible. Ce n'était plus le lieu des cris, des affrontements ou des chagrins. C'était une vallée apaisée, purgée de son fardeau. Claire se surprit à sourire. Un sourire discret, presque timide, mais sincère, qui illumina son visage marqué par les épreuves.

Pendant si longtemps, elle avait porté le poids des souvenirs, des regrets et des douleurs. Chaque jour, elle avait vécu avec l'image de Jean tombé, de Vaucocour maudit, et des âmes des villageois brisés par les décisions imposées par un monde cruel. Elle avait cru qu'elle n'échapperait jamais à ces ombres. Mais cette nuit-là, quelque chose avait changé. Le passé était toujours là, mais il n'avait plus le pouvoir de la terrasser. Elle avait affronté ses peurs, ses doutes, et elle avait triomphé.

Elle se revoyait, quelques heures plus tôt, plongée dans l'eau glacée du Bandiat, les mots anciens de la prière résonnant encore dans l'air. Elle se souvenait de la lumière aveuglante qui avait enveloppé la vallée, des silhouettes de Jean et de Vaucocour, si différentes mais étrangement unies dans leur quête de paix. Elle avait senti la force quitter son corps, mais elle n'avait pas flanché. Elle avait donné tout ce qu'elle avait, jusqu'à ce qu'il ne reste plus rien à donner, et le monde avait répondu.

Alors qu'elle rouvrait les yeux, le reflet de la lune semblait danser sur l'eau, traçant des motifs éphémères comme des runes oubliées. Claire sentit une chaleur douce dans sa poitrine, comme si la paix qu'elle avait rendue aux autres revenait maintenant à elle. Le chemin à venir serait encore long, elle le savait. Abjat n'était pas un village sauvé du jour au lendemain. Les blessures physiques et morales prenaient du temps à guérir. Mais pour la première fois, elle avait la certitude qu'il y avait une lumière au bout du chemin.

Elle posa une main sur le rocher froid à côté d'elle, comme pour s'ancrer dans ce moment. « Jean », murmura-t-elle, presque sans y penser. Il n'y avait pas de douleur dans ce murmure, seulement de la gratitude. « Merci. » Elle ne savait pas exactement ce qu'elle remerciait – peut-être sa présence, son courage, ou simplement le fait qu'il avait existé. Mais ces mots, dans l'obscurité, semblaient s'étendre, portés par le vent, jusqu'aux étoiles.

Au loin, les maisons d'Abjat, silhouettes sombres contre le ciel étoilé, semblaient dormir elles aussi. Elle imaginait les habitants, ignorant encore ce qui s'était passé cette nuit-là, mais ressentant peutêtre, dans leurs rêves, que quelque chose avait changé. La malédiction qui pesait sur eux, même sans qu'ils en soient toujours conscients, s'était levée. Claire se demanda si, au réveil, ils verraient leur village différemment, s'ils marcheraient avec des épaules un peu moins voûtées.

Elle pensa à Étienne, le vieux forgeron, qui lui avait souvent rappelé que les forces invisibles qui nous entourent peuvent être aussi bien des alliées que des ennemies. Elle pensa aux enfants qui jouaient près du Bandiat, inconscients du poids de l'histoire, et elle espéra qu'ils pourraient grandir dans un monde plus serein.

La lune, haute dans le ciel, semblait la regarder. Son éclat baignait la vallée d'une lumière argentée, douce mais pénétrante, éclairant chaque pierre, chaque brin d'herbe. Claire se leva lentement, ses jambes encore engourdies. Elle jeta un dernier regard au Bandiat, à la rivière qui avait été le témoin et l'actrice de tant de drames. Cette eau qui coulait, inlassable, emportant avec elle les fragments du passé, semblait lui murmurer quelque chose.

Elle inclina légèrement la tête, comme pour répondre à ce murmure. Puis, dans un geste presque instinctif, elle posa une main sur son cœur, où elle sentait encore battre une chaleur nouvelle. Le silence autour d'elle était vivant, vibrant, empli de la promesse que, quoi qu'il arrive, la paix reviendrait toujours.

Chapitre 36 : Le dernier Sermon du père Matthieu

Le soleil d'un matin pâle filtrait à travers les vitraux poussiéreux de l'église Saint-Jean, projetant des éclats colorés sur les murs de pierre. À l'autel, le Père Matthieu, désormais affaibli par les années, s'apprêtait à prononcer son dernier sermon. Ses mains tremblaient légèrement en ajustant son étole, mais ses yeux, empreints de sérénité, brillaient d'une détermination que ses paroissiens reconnaissaient bien.

Le village entier s'était rassemblé, conscient que ce moment marquerait une page importante de leur histoire. Les bancs étaient pleins, et même ceux qui, d'ordinaire, restaient à l'écart de l'église s'étaient glissés à l'arrière, debout, silencieux. Le silence, d'ailleurs, était presque palpable, chargé de l'attente respectueuse de ce qu'allait dire l'homme qui avait guidé Abjat à travers tant d'épreuves.

Avec une lenteur mesurée, le Père Matthieu monta les quelques marches qui menaient à la chaire. Il s'arrêta un instant, le regard posé sur ses fidèles. Chacun portait en lui une histoire liée à cette église : des mariages célébrés, des enterrements pleins de larmes, des prières silencieuses pour des miracles. Ces souvenirs, le Père Matthieu les portait aussi, comme des cicatrices invisibles sur son âme.

Enfin, il leva une main apaisante et commença, la voix douce, mais ferme emplissant l'espace.

__ « Mes chers amis, Il y a longtemps, quand je suis arrivé à Abjat, cette église résonnait des sons des cloches. Leur voix puissante annonçait la joie des naissances, la solennité des départs, et même les heures ordinaires de nos vies. Mais depuis ce jour funeste où ces cloches nous ont été enlevées, nous avons vécu dans le silence. Ce silence, au départ, était une plaie. Il semblait crier l'injustice et la douleur. Mais avec le temps, ce même silence est devenu une autre voix. Une voix qui nous a appris à écouter autrement. À entendre les murmures du vent dans les champs, le chant de la rivière, et, parfois, les battements de nos propres cœurs. Aujourd'hui, alors que je m'apprête à vous quitter, je veux vous parler du temps. Le temps que nous avons passé ensemble, et celui qui est encore devant vous. »

Le Père Matthieu s'interrompit un instant, le regard posé sur Guillaume, Claire, Étienne, et les autres figures qui avaient porté Abjat à travers les années de reconstruction.

__ « Beaucoup d'entre vous se demandent si ce village peut encore retrouver son éclat d'antan. Si les blessures laissées par 1641 peuvent un jour se refermer. À cela, je réponds : oui. Mais ce ne sera pas en oubliant. N'effacez pas vos souffrances, mes amis. Ne cherchez pas à masquer les cicatrices du passé. Ce village n'est pas faible parce qu'il a connu la douleur. Il est fort, car il l'a traversée. Il est fort, car, malgré les pertes, vous êtes encore ici. Chaque pierre de cette église, chaque champ labouré, chaque mot chuchoté au bord du Bandiat porte en lui une mémoire. Et cette mémoire est votre richesse. Elle est le fondement sur lequel vous pouvez bâtir un avenir. »

Le Père Matthieu, bien que fatigué, redressa légèrement ses épaules, comme pour insuffler une énergie nouvelle à ses paroles. __ « Mais souvenez-vous : reconstruire ne se fait pas seul. Simon, Guillaume, Claire, et tant d'autres qui ne sont plus là aujourd'hui nous l'ont montré. Ce village a survécu non parce qu'il était riche ou puissant, mais parce qu'il était uni. Ne laissez pas la division s'installer entre vous. Ne laissez pas les souvenirs des pertes devenir des chaînes. Laissez-les devenir des ponts. Tendez la main à votre voisin, même lorsque les jours sont sombres. Apprenez à pardonner, non parce que c'est facile, mais parce que c'est juste. »

À ces mots, plusieurs visages dans l'assemblée se détournèrent, certains pour cacher leurs larmes, d'autres pour regarder les pierres du sol comme si elles portaient les réponses. Guillaume hocha doucement la tête, ses pensées vagabondant vers les années passées. Claire, quant à elle, ferma les yeux, une prière silencieuse se formant sur ses lèvres.

Le Père Matthieu marqua une pause, ses mains posées sur la chaire, avant de conclure.

__ « Enfin, je vous laisse avec une dernière pensée. Vous avez vécu sans cloches, et pourtant, leur écho persiste. Peut-être qu'un jour, ces cloches reviendront. Peut-être que d'autres, nouvelles, se dresseront dans le clocher pour porter vos joies et vos peines aux cieux. Mais souvenez-vous : les cloches ne sont que des outils. Le véritable son de ce village, c'est vous. Votre travail, vos rires, vos chants, vos prières. Vous êtes les cloches d'Abjat. Alors, ne laissez jamais cette vallée devenir silencieuse. Faites-la résonner de votre foi, de votre amour, et de votre espoir. »

Lorsque le Père Matthieu descendit de la chaire, l'église était emplie d'un silence vibrant, non pas de vide, mais de réflexion. Les habitants restèrent assis, figés dans leurs pensées. Certains pleuraient doucement, d'autres serraient les mains de leurs proches. Ce dernier sermon avait touché quelque chose de profond en eux.

Le vieil homme, épuisé, mais apaisé, quitta l'église en s'appuyant sur son bâton. Les cloches de l'église Saint-Jean ne résonnèrent pas ce jour-là. Mais dans le cœur des habitants, une promesse silencieuse naquit : celle de ne jamais laisser tomber ce qu'ils avaient construit ensemble, et de porter le souvenir du Père Matthieu comme une lumière dans les jours à venir.

Et ainsi, son dernier sermon devint non seulement une prière, mais un testament, gravé dans les mémoires, une boussole pour guider Abjat vers son avenir.

Chapitre 37 : Le dernier souffle de Claire

Les années s'étaient écoulées comme le courant tranquille du Bandiat, emportant avec elles les souvenirs des jours les plus sombres d'Abjat. Les luttes, les cris, les épreuves avaient laissé place à un calme presque irréel, un répit mérité après tant de souffrance. Pourtant, la mémoire de ces jours ne s'était jamais complètement effacée. Elle vivait dans les pierres du village, dans les récits des anciens et, surtout, dans les gestes simples et empreints de dignité de Claire.

Claire, la survivante, la gardienne du passé et l'incarnation du pardon.

Revenant régulièrement de Thiviers, où elle avait passé quelques années à servir les descendants des Vaucocour, Claire était devenue une figure incontournable d'Abjat. Mais elle restait humble, presque effacée, comme si son rôle n'avait jamais été d'être au centre des regards. Elle vivait seule dans une petite maison à l'orée du village, tout près du Bandiat. Son foyer, modeste, mais chaleureux, était entouré d'un jardin qu'elle entretenait avec soin. Là, elle cultivait des légumes pour elle-même et des fleurs qu'elle apportait à l'église ou déposait sur les tombes des disparus.

Malgré son âge avancé, Claire restait active. Elle passait ses journées à réparer des vêtements pour les enfants du village, à offrir des conseils aux jeunes mères ou à écouter les histoires des anciens. Sa maison était un refuge pour ceux qui cherchaient réconfort ou sagesse, bien qu'elle ne se considère jamais comme une figure d'autorité. Pourtant, chacun savait que son esprit abritait une force rare, forgée par les épreuves qu'elle avait traversées.

Elle portait toujours son « moutchadou » noir, signe de son deuil, un deuil qu'elle n'avait jamais cessé de porter. Même lorsque ses cheveux étaient devenus blancs, comme la neige et que son visage portait les marques du temps, elle gardait cette étoffe comme une partie d'elle-même. Ce n'était pas seulement pour Jean, mais pour tous ceux qu'elle avait aimés et perdus. C'était aussi une manière de ne jamais oublier, tout en avançant malgré tout.

Les souvenirs de Jean étaient les plus douloureux, mais aussi les plus lumineux. Il restait son étoile, son guide, même dans l'absence. Elle ne parlait que rarement de lui, mais quiconque voyait son regard lorsqu'elle se promenait au bord du Bandiat comprenait que son esprit était toujours lié à celui de son amour perdu. Parfois, elle s'arrêtait sur la rive, les yeux fixés sur les eaux calmes, comme si elle cherchait une réponse ou un signe. Certains disaient qu'elle murmurait son nom, mais personne n'osait la déranger.

Simon Masfranc, Étienne le forgeron, Guillaume, et même François de Vaucocour occupaient aussi une place dans son cœur. Simon, l'incarnation du courage, avait sacrifié sa vie pour défendre Abjat. Étienne, avec sa sagesse tranquille, était resté à ses côtés à travers les tempêtes. Guillaume, le conteur, avait gardé la mémoire vivante. Et Vaucocour, ce seigneur maudit, était devenu pour elle un symbole de réconciliation. Elle ne le haïssait plus. Elle avait appris à lui pardonner.

L'hiver de sa vie arriva doucement, comme une brise qui s'installe progressivement. Claire tomba malade un jour où le givre recouvrait les champs et où le Bandiat roulait ses eaux sombres et glaciales. Ce n'était pas une maladie brutale, mais une lassitude profonde, un signe que son corps, épuisé par les années, aspirait enfin au repos. Elle accepta cette fin avec la même dignité qu'elle avait montrée tout au long de sa vie.

Les habitants d'Abjat, qui l'aimaient comme une mère ou une sœur, vinrent à son chevet. Ils apportaient des bouillons chauds, des couvertures épaisses et des prières sincères. Claire, affaiblie, mais sereine, les remerciait d'un sourire doux. Ses mains, maigres, mais encore pleines de tendresse, serraient les leurs avec une gratitude infinie. Elle ne se plaignait jamais. Pour elle, la mort n'était pas une fin, mais un passage.

Une nuit où la neige tombait silencieusement sur sa petite maison, elle demanda à Étienne de venir la voir. Le vieux forgeron, lui aussi marqué par les années, s'assit près d'elle, son visage grave.
Claire lui parla d'une voix faible, mais claire, ses mots porteurs d'un calme profond.
— « Étienne, tu te souviens des jours où nous nous battions pour Abjat ? » murmura-t-elle.
— « Oui, Claire, » répondit-il, les larmes embuant ses yeux.
— « Nous avons survécu, » continua-t-elle. « Abjat a survécu. Maintenant, c'est à toi et aux autres de veiller sur le village. Si jamais tu entends un oiseau chanter près du Bandiat… sache que ce sera moi. »

Ces paroles, simples, mais empreintes d'une profondeur immense, restèrent gravées dans le cœur d'Étienne. Quelques heures plus tard, Claire s'éteignit paisiblement, un sourire léger illuminant son visage.

Lorsque la nouvelle de la mort de Claire se répandit, le village tout entier s'arrêta. Les cloches, depuis longtemps remplacées, sonnèrent avec gravité. Les habitants se rassemblèrent pour lui rendre hommage, formant une procession silencieuse qui accompagnait son cercueil de bois simple jusqu'à sa dernière demeure.

Claire avait demandé à être enterrée près du Bandiat, non loin du pont de la Charelle. Ce lieu, chargé de mémoire, était pour elle un symbole de tout ce qu'elle avait vécu et accompli. Mais ce qui surprit les habitants fut son souhait de reposer près de François de Vaucocour. Certains s'interrogèrent, mais d'autres comprirent que, pour Claire, ce geste symbolisait le pardon ultime, la réconciliation complète entre le passé et l'avenir.

Le prêtre, lors de la cérémonie, parla de la force du pardon et de l'amour. Ses paroles résonnèrent dans les cœurs, rappelant à chacun que Claire avait consacré sa vie à panser les blessures, même celles laissées par les pires ennemis.

Peu après son enterrement, des récits émergèrent. Certains affirmaient avoir vu un grand oiseau blanc planer au-dessus du Bandiat, ses ailes lumineuses capturant les rayons du soleil d'hiver. L'oiseau, selon eux, semblait veiller sur la rivière et le village, avant de disparaître dans le ciel.

Cette vision devint une légende, une histoire que l'on racontait aux enfants autour des feux de cheminée. On disait que l'oiseau blanc était l'âme de Claire, continuant de veiller sur Abjat. Les nuits de pleine lune, lorsque la lumière baignait la rivière, on entendait parfois un chant doux et mélancolique, comme une berceuse murmurée par les vents. Les habitants croyaient que c'était elle, rappelant qu'ils n'étaient jamais seuls.

Les années passèrent, mais la mémoire de Claire resta vive. Les jeunes couples allaient au bord du Bandiat, espérant apercevoir l'oiseau blanc, persuadés que sa bénédiction apporterait prospérité et bonheur. Les anciens, eux, trouvaient du réconfort dans cette légende, voyant en elle la preuve que l'amour et la résilience transcendaient le temps.

Abjat, transformé par le passage des décennies, continua de prospérer. Et à chaque coucher de soleil, lorsque les derniers rayons illuminaient la vallée, les habitants levaient les yeux vers le ciel, cherchant une silhouette blanche dans l'azur. Car, tant qu'Abjat vivrait, Claire, leur gardienne, ne les quitterait jamais.

Chapitre 38 : Le chant de la cloche promise

Les années avaient poli les cicatrices laissées par les tragédies d'Abjat, mais la mémoire du village n'avait jamais laissé s'effacer le souvenir de sa cloche perdue. Cette cloche, disparue dans les profondeurs de la Dronne au Saut du Chalard, hantait toujours les esprits des habitants. Elle n'était pas simplement un objet de bronze, mais un symbole vivant, une incarnation de leur âme collective. Son absence, plus qu'une mutilation spirituelle, était un rappel constant des jours sombres où leur dignité leur avait été arrachée.

La légende naquit lentement, comme naissent toutes les grandes histoires, des murmures qui grandissent au fil des veillées et des récits partagés au coin du feu. On racontait que la cloche, bien qu'engloutie par la rivière, n'avait jamais cessé de vibrer. Certains affirmaient l'avoir entendue, sonnant une note unique et claire dans le tumulte des eaux de la cascade. D'autres juraient que son son, doux, mais insistant, se mêlait aux murmures de la rivière les nuits de pleine lune.

Les anciens, gardiens de la mémoire du village, donnèrent à cette légende une tournure prophétique. Ils disaient que la cloche ne sonnerait à nouveau que lorsque Abjat aurait retrouvé sa prospérité et son honneur perdus. Ce jour-là, selon la légende, son chant serait entendu dans toute la vallée, un appel clair et puissant annonçant la renaissance du village.

— « Tant que la cloche demeure silencieuse, » disait le vieux Guillaume lors des veillées, « c'est que notre travail n'est pas terminé. Mais lorsque nous serons enfin dignes, lorsque nous aurons reconstruit ce qui a été détruit, elle reviendra à nous. »

Cette promesse, bien qu'intangible, devint un moteur pour les habitants d'Abjat. Les paroles de Guillaume résonnaient dans leurs cœurs, les inspirant à persévérer malgré les défis. Chaque pierre posée pour reconstruire une maison, chaque champ labouré pour une nouvelle récolte, chaque mariage célébré dans l'église silencieuse, tout cela prenait un sens nouveau. Ils travaillaient non seulement pour leur survie, mais aussi pour honorer cette légende, pour ramener le chant de leur cloche.

Pour les jeunes générations, la légende devint une source d'espoir et de fierté. Les enfants, fascinés par les histoires de leurs aînés, allaient souvent au bord du Bandiat, jetant des pierres dans la rivière pour tenter de provoquer un écho de la cloche. Certains prétendaient entendre un tintement lointain, mais personne n'osait affirmer avec certitude qu'ils avaient entendu son véritable chant.

Les agriculteurs du village, en particulier, se sentirent investis d'une mission sacrée. La prospérité d'Abjat, pensaient-ils, passait par la terre. Ainsi, ils travaillèrent plus dur que jamais, retournant des sols laissés en friche, plantant des cultures plus variées, et échangeant leurs surplus avec les villages voisins. Chaque récolte réussie était célébrée non seulement comme une victoire individuelle, mais comme un pas de plus vers la promesse de la cloche.

Les artisans, quant à eux, retrouvèrent leur place dans le tissu économique du village. Étienne, le forgeron, forgeait des outils pour ses voisins, mais aussi des cloches miniatures en cuivre qu'il distribuait lors des veillées, comme un rappel tangible de leur quête collective. Les potiers et les tisserands produisaient des objets d'une beauté simple, mais robuste, échangeant leur travail contre des marchandises venues de plus loin.

La légende de la cloche devint rapidement bien plus qu'une histoire. Elle unissait les habitants d'Abjat dans une quête commune.

Peu importait qu'ils soient riches ou pauvres, jeunes ou vieux, chaque habitant voyait dans cette légende une partie de lui-même. La cloche n'était plus seulement un objet, mais le reflet de leur identité collective, de leur résilience et de leur foi en l'avenir.

Les veillées, où l'on racontait l'histoire de la cloche, devinrent des moments de communion profonde. On y chantait des chansons anciennes, on y récitait des prières, et parfois, on dansait autour d'un feu, les enfants tenant des lanternes qu'ils faisaient tourner pour imiter le tintement imaginaire de la cloche. Ces soirées, bien que simples, avaient une magie qui transcendait les générations.

Avec le temps, la légende de la cloche atteignit les villages voisins et même des contrées plus lointaines. Les marchands qui passaient par Abjat écoutaient les récits avec fascination, emportant l'histoire avec eux sur les routes du Périgord. Certains voyageurs faisaient même un détour pour visiter le pont de la Charelle ou le Saut du Chalard, espérant entendre l'écho mystérieux de la cloche.

Ces visites, bien qu'épisodiques, apportèrent une certaine prospérité au village. Les habitants commencèrent à vendre des souvenirs aux voyageurs : de petites cloches en argile, des croix gravées, et des dessins du Saut du Chalard. Ces échanges, bien que modestes, contribuèrent à l'économie renaissante d'Abjat, rapprochant le village de la promesse de la cloche.

Bien que la cloche ne sonne pas encore, ses habitants continuent de travailler, d'espérer et de croire. Pour eux, la légende n'est pas une simple promesse mystique. C'est un guide, une étoile polaire qui leur rappelle que chaque geste, aussi petit soit-il, les rapproche de leur but.

Ils savent que le chemin est long, mais ils savent aussi que la prospérité ne se mesure pas seulement en pièces d'or ou en récoltes abondantes. Elle se mesure en liens renforcés, en fierté retrouvée, en rires d'enfants qui courent dans les champs, et en la lumière des feux de veillées où les histoires de leurs aïeux continuent de vivre.

Et ainsi, à chaque crépuscule, alors que le soleil plonge derrière les collines, les habitants d'Abjat regardent vers le Saut du Chalard, leur cœur empli d'espoir. Ils écoutent le murmure de la rivière, attentifs au moindre écho, car ils savent que, tôt ou tard, la cloche chantera à nouveau. Et ce jour-là, Abjat se tiendra fièrement, en harmonie avec son passé, son présent, et son avenir.

La légende de la cloche perdue transcende le temps, devenant à la fois un rappel et une prophétie. Ce n'est pas seulement une histoire pour les habitants d'Abjat, mais un exemple universel de la façon dont les communautés peuvent surmonter les tragédies, reconstruire leur identité, et trouver une unité dans les récits qui les lient.

Le chant de la cloche, bien que silencieux pour l'instant, résonne déjà dans le cœur des habitants. Car ce n'est pas seulement dans la cloche elle-même que se trouve leur salut, mais dans les valeurs qu'elle incarne : résilience, espoir, et la capacité infinie des hommes et des femmes à se relever, ensemble.

Épilogue : Le vol de l'oiseau blanc

Le printemps était revenu à Abjat, inondant le village d'une lumière douce et ambrée. Les champs, fraîchement labourés, se paraient de jeunes pousses prometteuses, et les fleurs sauvages coloraient les collines environnantes. Les habitants, bien que marqués par les épreuves du passé, avaient appris à vivre avec leurs cicatrices. Mais ce printemps-là, un événement inattendu allait marquer l'histoire d'Abjat, scellant pour toujours l'espoir d'une réconciliation divine.

Loin du centre du village, un jeune berger nommé Julien guidait son troupeau vers une colline surplombant Abjat. Il était fils de paysans, né bien après les événements tragiques qui avaient marqué le village, mais il avait grandi avec les récits des anciens. On lui avait souvent parlé de Simon, de Claire, et de la cloche perdue, des histoires qu'il écoutait avec fascination au coin du feu.

Julien aimait cette solitude des collines, où le vent jouait avec les brins d'herbe et où le monde semblait plus grand et plus mystérieux. Ce jour-là, alors qu'il surveillait ses moutons, il leva les yeux vers le ciel, cherchant à deviner les caprices du temps. Ce qu'il vit alors le laissa sans voix.

Un grand oiseau blanc planait au-dessus du clocher d'Abjat, ses ailes immenses et lumineuses dessinant des cercles gracieux dans le ciel azur. Julien, figé, laissa tomber son bâton. L'oiseau ne ressemblait à aucun qu'il avait vu auparavant. Il était majestueux, presque irréel, et sa présence semblait emplir l'air d'une paix indescriptible.

Julien observa l'oiseau pendant ce qui lui sembla une éternité. L'animal ne battait presque pas des ailes, se laissant porter par les courants ascendants, comme s'il veillait sur le village en contrebas. Puis, lentement, il s'éloigna, suivant la rivière du Bandiat, avant de disparaître derrière les collines.

Le jeune berger, encore sous le choc, ramassa son bâton et redescendit en courant vers le village. Il devait raconter ce qu'il avait vu. Ce n'était pas un simple oiseau. C'était un signe, il en était certain. Un signe que le pardon divin, tant espéré par les habitants, était enfin proche.

Lorsque Julien arriva sur la place centrale, essoufflé, mais exalté, les habitants s'interrompirent dans leurs activités pour écouter son récit. Sa voix tremblait d'émotion lorsqu'il décrivit l'oiseau blanc, sa majesté, et la manière dont il semblait bénir le clocher de sa présence.

— « Il était grand, plus grand que tous les oiseaux que je n'ai jamais vus ! » s'écria-t-il. « Ses ailes brillaient comme si elles portaient la lumière du ciel lui-même. Et il planait au-dessus de notre clocher, comme s'il nous regardait, comme s'il veillait sur nous. »

Les anciens, rassemblés sur les bancs de pierre près de l'église, échangèrent des regards graves. Pour eux, ce récit n'était pas une simple coïncidence. L'histoire de l'oiseau blanc, lié à l'âme de Claire, leur revenait en mémoire. Et si Julien avait vraiment vu cet oiseau, cela signifiait que quelque chose de profond, de sacré, était en train de se produire.

Rapidement, le récit de Julien se propagea dans tout le village, réveillant des souvenirs et des espoirs endormis. Les habitants se rassemblèrent dans l'église, désormais équipée de nouvelles cloches, pour prier et réfléchir à la signification de ce signe. Guillaume, l'ancien instituteur, se leva pour prendre la parole. Bien que son corps fût affaibli par les années, sa voix portait encore l'autorité de celui qui avait vu Abjat renaître.

— « Ce que Julien a vu aujourd'hui, nous devons le prendre comme un message. L'oiseau blanc n'est pas seulement un symbole de Claire ou de ceux que nous avons perdus. Il est le signe que nos prières ont été entendues. Nous avons travaillé dur pour reconstruire Abjat, pour retrouver notre dignité et notre unité. Peut-être que ce signe nous dit que nous sommes enfin prêts à être pardonnés, non seulement par Dieu, mais par nous-mêmes. »

Ces mots trouvèrent un écho profond dans l'assemblée. Les habitants comprirent alors que, bien qu'ils aient survécu aux épreuves, ils portaient encore un poids dans leurs cœurs : celui de la culpabilité, de la colère, et du chagrin non exprimés.

Le lendemain, une procession se forma dans le village. Les habitants, portant des bougies et des fleurs, se dirigèrent vers le pont de la Charelle, ce lieu chargé de mémoire où tout avait commencé. Ils y déposèrent leurs offrandes, priant pour les âmes de Simon, de Claire, de Jean, et même de François de Vaucocour.

Julien, qui ouvrait la marche, était ému de voir son village ainsi uni. Les enfants, qui avaient grandi avec les légendes, chantaient des hymnes simples, leurs voix claires s'élevant dans l'air printanier. Les anciens murmuraient des prières, et les jeunes adultes, debout près de la rivière, regardaient les eaux couler avec un respect renouvelé.

Alors qu'ils se tenaient là, une brise douce se leva, faisant danser les flammes des bougies. Certains affirmèrent avoir entendu un son étrange, presque imperceptible, semblable à un tintement. Était-ce le chant de la cloche promise, résonnant depuis les profondeurs de la Dronne ? Ou était-ce simplement le bruissement de l'eau et du vent ? Personne ne pouvait le dire avec certitude, mais tous ressentaient une paix profonde.

Après cette journée, quelque chose changea à Abjat. Les habitants, bien que toujours conscients de leur passé, semblèrent plus légers, comme si un poids invisible avait été levé de leurs épaules. Le récit de Julien et l'apparition de l'oiseau blanc devinrent des symboles de renouveau et d'espoir.

Les veillées reprirent, mais elles étaient désormais moins empreintes de tristesse. Les récits sur la cloche perdue étaient racontés avec une note de fierté et d'optimisme, et les chansons traditionnelles, longtemps reléguées au silence, résonnèrent à nouveau dans les collines.

Julien, de son côté, continua de garder ses moutons, mais il devint aussi un conteur respecté dans le village. Chaque printemps, il rappelait aux habitants ce qu'il avait vu ce jour-là, et comment cet oiseau avait changé sa vision du monde.

Les années passèrent, et bien que l'oiseau blanc ne réapparût pas, son souvenir resta vivant dans les cœurs des habitants. Pour eux, il était la preuve que leur travail, leur résilience, et leur unité avaient un sens. Ils comprirent que le pardon divin ne venait pas seulement d'un signe céleste, mais aussi de leur propre capacité à se pardonner entre eux, à se réconcilier avec leur histoire.

Et si, un jour, la cloche promise devait sonner à nouveau, elle ne serait pas simplement le symbole de leur prospérité retrouvée. Elle serait l'écho d'un village qui avait appris à transformer la douleur en force, la perte en espoir, et les légendes en vérités intemporelles.

Ainsi, Abjat, porté par le vol de l'oiseau blanc et le murmure du Bandiat, continua de prospérer, unissant les vivants et les morts dans une harmonie rare, témoin de la puissance du pardon et de la mémoire.

La Complainte des Cloches Perdues

« Quand les cloches se taisent et que le sang coule,
Dans la vallée sombre où les âmes s'écroulent,
Les murs pleurent des vies arrachées,
Et le vent chante aux pierres brisées. »

« François sur son cheval, haut et fier,
portait l'épée et le jugement sévère.
Mais le Bandiat, rouge de colère,
A englouti son cœur de pierre. »

« Sous le pont de Charelle, l'eau charriait,
Des larmes, des cris, des âmes oubliées.
Et les cloches, brisées par le pouvoir,
Ne sonneront plus que dans le noir. »

« Mais au cœur des bois, une voix s'élève,
Un chant de mémoire, un écho sans trêve.
Quand les cloches muettes pleurent leur passé,
Les vivants se lèvent, prêts à pardonner. »

« Ô cloches perdues, chant du Bandiat,
Vos âmes résonnent dans le cœur des combats.
Quand les croix se dressent sur les champs fanés,
Nous portons vos voix dans nos cœurs meurtris. »

« Abjat, souviens-toi, les cloches reviendront,

Quand l'eau du torrent portera leur nom.
Et dans ce jour béni, vos enfants chanteront,
Un hymne d'espoir, un cri de pardon. »

Notes de l'auteure

En 1640, le village d'Abjat, comme la plupart des villages ruraux en France à cette époque, n'était pas dirigé par un conseil ou une administration locale moderne. Sa gestion et son organisation reposaient principalement sur une structure seigneuriale et une hiérarchie traditionnelle. Voici les figures qui jouaient probablement un rôle clé dans la direction et la gestion du village :

1. Le seigneur local

Le village d'Abjat aurait été sous l'autorité d'un seigneur, souvent propriétaire des terres sur lesquelles les paysans vivaient et travaillaient. Ce seigneur, qui pouvait résider dans un château voisin ou dans une grande demeure, détenait des droits importants sur le village :

– **Le droit de justice** : Il administrait une justice seigneuriale pour résoudre les conflits locaux et percevoir les amendes.

– **Les taxes et les redevances** : Les paysans payaient des redevances sous forme d'argent, de produits ou de services, comme le « cens » ou le « champart ».

– **Les corvées** : Les villageois étaient tenus de travailler gratuitement pour le seigneur à certains moments de l'année.

En 1640, les seigneurs locaux devaient également répondre aux ordres du roi Louis XIII et de son principal conseiller, le cardinal Richelieu, notamment en ce qui concerne les levées d'impôts et le recrutement pour la guerre de Trente Ans. Ces exigences croissantes pouvaient accentuer les tensions entre les seigneurs et leurs communautés.

Dans le cas d'Abjat, si l'on se réfère à la légende, François de Vaucocour, capitaine de chevau-légers, aurait été impliqué dans la gestion ou l'exploitation des terres environnantes, bien qu'il semble plus lié à la noblesse militaire qu'à la seigneurie directe.

. Le curé du village
Le prêtre ou curé de la paroisse Saint-Jean d'Abjat jouait un rôle central dans la vie spirituelle et sociale. En 1640, la religion catholique dominait la société française, et l'église était le pivot de la communauté :
– Il organisait les messes, les sacrements (mariages, baptêmes, enterrements) et les grandes fêtes religieuses.
– Il servait de conseiller moral et parfois de médiateur lors des conflits entre villageois.
– Il relayait les édits royaux et les obligations fiscales, souvent transmis par l'intermédiaire des seigneurs ou des baillis.

Le curé, bien que subordonné au seigneur, avait une influence morale qui pouvait surpasser celle de la noblesse locale, surtout dans des périodes de crise.

. Les « syndics » ou représentants des villageois
Dans certains cas, les communautés villageoises choisissaient des représentants, appelés « syndics », pour traiter avec le seigneur ou les autorités royales. Ces hommes, souvent des paysans ou des artisans influents, avaient des tâches spécifiques :
– Collecter les impôts pour le seigneur ou pour le roi.
– Représenter les intérêts du village lors de négociations, par exemple pour des exemptions de taxes ou des demandes de réparations. – Organiser les travaux collectifs, comme l'entretien des chemins ou des ponts.

À Abjat, il est possible qu'une telle figure ait existé pour canaliser la colère des habitants face aux exactions de Vaucocour ou pour gérer les obligations imposées par les seigneurs et la couronne.

. Les notables locaux

Bien que les communautés rurales ne soient pas très hiérarchisées, certains habitants jouaient un rôle plus important grâce à leur expérience ou à leur influence :

– Le forgeron, comme Étienne dans l'histoire d'Abjat, qui avait une autorité informelle grâce à son métier central pour le village. – Le chirurgien-barbier, comme le père de Jean, qui combinait des fonctions médicales et sociales.

– Les marchands ou meuniers, comme Louis Lafarge, le père de Claire, qui avaient un rôle clé dans l'économie locale.

Ces figures respectées, bien que non officiellement investies d'un pouvoir politique, pouvaient jouer un rôle d'intermédiaire entre le seigneur, le curé et les habitants.

. L'influence de la couronne

En 1640, le pouvoir royal s'immisçait de plus en plus dans la vie des communautés rurales, en grande partie à cause de la guerre de Trente Ans. Les « collecteurs d'impôts royaux », souvent détestés, et les recruteurs militaires visitaient régulièrement les villages pour lever des fonds et des hommes. Ces agents étaient rarement locaux et provoquaient des tensions, voire des révoltes.

Le roi Louis XIII, bien qu'éloigné, imposait sa mainmise sur toutes les terres du royaume, y compris les plus reculées, comme Abjat. À travers les édits et les collectes de taxes, son influence pesait sur la communauté, renforçant les sentiments de résistance.

En 1640, la direction d'Abjat reposait sur une combinaison de figures locales, le seigneur, le curé, les notables, et d'autorités extérieures, comme les agents royaux. La gestion quotidienne du village était marquée par un équilibre fragile entre les obligations féodales, les pressions royales et la solidarité communautaire, une dynamique souvent bouleversée par les tragédies de l'époque.

Le château de Nérac, symbole de l'autorité royale et de son implacable mainmise sur le sud-ouest de la France, avait été le théâtre de nombreux événements marquants. Pourtant, l'un des plus sombres chapitres de son histoire restait le procès et l'application des peines qui suivirent les révoltes d'Abjat en 1641. Ce jugement, sévère et écrasant, fut conçu non seulement pour punir les responsables, mais aussi pour rappeler à tous la suprématie du pouvoir royal.

L'entrée dans le château de Nérac, pour ceux qui y étaient amenés comme prisonniers, était une descente symbolique et littérale vers l'humiliation et la mort. Les lourdes portes de bois ferré s'ouvraient sur une cour austère, où les gardes en uniforme noir encadraient chaque arrivée. Les prisonniers, chaînes aux poignets et aux chevilles, avançaient sous les regards glacés des soldats.

Le long des murs de pierre froide, des bannières royales flottaient mollement dans l'air immobile, rappelant à tous que ce lieu n'appartenait pas aux hommes, mais à une autorité absolue, divine et royale.

Pour les accusés d'Abjat, chaque pas résonnant sur les dalles de la cour les rapprochait de leur jugement.

Les procès se tenaient dans une grande salle austère, éclairée par de hautes fenêtres qui laissaient entrer une lumière crue. Les murs, nus et imposants, portaient l'écho des voix qui s'y élevaient. À une extrémité, une estrade surélevée accueillait les magistrats et le greffier. Devant eux, les accusés se tenaient debout, encadrés par des gardes, tandis que les spectateurs, des notables locaux ou des citoyens triés sur le volet, occupaient des bancs en bois dans un silence solennel.

Les mots du jugement étaient écrits avec une précision clinique, chaque terme pesé pour infliger à la fois une peine et une humiliation :

« Les dits accusés, atteints et convaincus de crime contre les armes du Roy, seront punis avec la sévérité due à leur rébellion. »

La sentence était d'une brutalité calculée, conçue pour écraser l'esprit des accusés et terroriser ceux qui auraient pu nourrir des idées similaires. Chaque mot, chaque ligne du jugement résonnait comme un marteau sur une enclume :

— **Pour les principaux responsables :** des peines corporelles inimaginables, telles que la torture avant l'exécution, l'étranglement sur l'échafaud ou la roue, où les corps étaient brisés et exposés publiquement jusqu'à ce que mort s'ensuive. Ces supplices n'étaient pas seulement des punitions, mais des spectacles, destinés à montrer la puissance invincible de la justice royale.

— **Pour d'autres accusés :** trois ans de galères royales, une peine aussi épuisante que déshumanisante. Ils devenaient les esclaves des navires de guerre, condamnés à ramer jour et nuit, sans espoir de retour.

— **Pour les contumaces et défaillants :** des condamnations par contumace, mais aussi des menaces d'exécution publique si jamais ils étaient capturés. À défaut, leurs effigies étaient pendues en place publique, des tableaux grotesques rappelant à tous la fuite honteuse des coupables.

— **Pour le village d'Abjat dans son ensemble :** une amende colossale de 36 000 livres, une somme impossible à réunir pour des paysans déjà appauvris. Cette dette collective était destinée à compenser les pertes de la famille de Vaucocour, à payer les frais du procès, et à financer des œuvres religieuses, renforçant l'idée d'un châtiment divin autant que royal.

Le 6 mai 1641, deux des principaux accusés furent conduits sur la place publique de Nérac. Le soleil était haut, mais son éclat ne parvenait pas à percer la noirceur de l'événement. L'échafaud, construit en bois massif, dominait la foule rassemblée, composée de curieux, de paysans apeurés et de nobles venus assister à la démonstration de la justice royale.

Le sergent royal, accusé de forfaiture, fut le premier à subir son sort. On le força à gravir les marches, ses chaînes cliquetant à chaque pas. Un écriteau pendait à son cou, portant les mots : « Traître et indigne du Roy » Il fut rompu vif, ses hurlements perçant le silence tendu de la foule. Lorsque son corps inerte fut attaché à une roue, il n'était plus qu'un exemple macabre de ce qui attendait ceux qui défiaient la couronne.

Le meurtrier présumé de François de Vaucocour fut amené ensuite. Avant son supplice, il subit la torture pour extorquer les noms de ses complices. Chaque cri qu'il laissa échapper renforça l'atmosphère de terreur qui enveloppait la place. Quand il fut finalement étranglé, son visage portait les marques d'une agonie insupportable.

Ceux qui ne furent pas exécutés immédiatement furent ramenés aux geôles du château, ces oubliettes sombres et humides où le temps semblait s'étirer à l'infini. Les cellules exiguës, dépourvues de lumière et d'air, n'étaient pas conçues pour la survie, mais pour le désespoir. Les gouttes d'eau s'écrasant au sol formaient une mélodie lugubre, tandis que les rats et les cafards se disputaient les restes des maigres rations.

Les prisonniers y attendaient leur sort dans une solitude presque totale. Certains, trop épuisés pour tenir, s'éteignaient avant même que leur peine ne soit appliquée. D'autres survivaient, mais portaient à jamais les cicatrices de cette détention inhumaine.

À Abjat, l'impact de ces sentences fut dévastateur. Le village, déjà brisé par la révolte, perdit ses cloches, ses foires, et sa halle, des symboles de son identité et de sa prospérité. À la place de la halle, une pyramide fut érigée, gravée du jugement, un monument humiliant rappelant la punition infligée.

Les dettes imposées plongèrent les habitants dans une misère encore plus profonde. La terreur du châtiment et la culpabilité collective s'insinuèrent dans les cœurs, brisant l'esprit d'une communauté qui avait osé rêver de liberté.

Malgré le silence imposé par la justice royale, le souvenir des événements de 1641 ne s'effaça jamais complètement. Les habitants d'Abjat transmirent ces récits de génération en génération, mêlant faits et légendes. Des rumeurs couraient sur les âmes des suppliciés, condamnées à hanter le château de Nérac. Les gravures sur les murs des cellules témoignaient de la résistance des prisonniers, tandis que les croix et les pyramides érigées dans le village racontaient une histoire de rébellion écrasée, mais pas oubliée.

Le procès et les peines infligées à Abjat furent bien plus qu'un simple exercice de justice. Ils représentaient une démonstration de pouvoir, un message adressé à tous ceux qui auraient pu contester l'autorité royale. Mais, dans cette tentative de briser l'esprit d'un village, les autorités de l'époque créèrent une mémoire collective encore plus forte.

Les geôles de Nérac, le jugement gravé sur la pierre, et les récits transmis oralement devinrent les gardiens silencieux de cette histoire. Et dans le silence oppressant des murs de pierre, l'écho de la résistance d'Abjat résonnait encore.

Au XVIIe siècle, Abjat n'était pas un simple village. Par son commerce florissant, ses foires animées, et son rôle administratif, il constituait un véritable carrefour économique et social à la frontière du Limousin et du Périgord. Pourtant, l'éclat de cette prospérité fut brutalement éteint en 1641, lorsque le jugement de Nérac abattit son poids sur le bourg et ses habitants, les plongeant dans une ère de déclin irréversible.

Avant le jugement, Abjat rayonnait sur la région. Ses foires attiraient marchands et acheteurs de toutes les châtellenies voisines. Sa population, diversifiée et dynamique, comprenait des artisans, des marchands, et des paysans prospères. L'administration locale, portée par un sergent royal et une juridiction établie, faisait d'Abjat un point névralgique, tant pour la vie économique que pour les affaires judiciaires.

La halle, située au cœur du bourg, symbolisait ce dynamisme. Entourée de tavernes et de boutiques, elle résonnait des cris des commerçants et des discussions animées des acheteurs venus de loin pour profiter des marchés. Les cloches de l'église Saint-Jean rythmaient la vie quotidienne, marquant les moments de prière, mais aussi les rassemblements et les célébrations.

Cependant, cette prospérité reposait sur un équilibre fragile, soumis aux tensions politiques et sociales du royaume. Lorsque l'autorité royale frappa durement en 1641, ce fragile édifice s'écroula.

Le jugement rendu par les magistrats de Nérac ne se contenta pas de punir les responsables des rébellions. Il visa à détruire tout ce qui faisait la force et l'identité d'Abjat. Les sentences furent aussi sévères qu'implacables :

– **Les punitions corporelles et symboliques :** Les exécutions publiques des principaux accusés, les envois aux galères et les

pendaisons par effigie marquèrent durablement la mémoire collective. Ces actes, orchestrés sur la place publique de Nérac et à Abjat même, n'avaient pas seulement pour but d'éliminer les rebelles. Ils visaient à humilier la communauté entière et à écraser tout esprit de révolte. –
La confiscation des cloches : Les cloches de l'église SaintJean, symbole spirituel et communautaire, furent démontées. L'une fut envoyée à Thiviers, tandis que les autres furent expédiées à Limoges pour y être refondues ou redistribuées. Ce geste, lourd de sens, équivalait à priver Abjat de sa voix et de son identité.

– **La destruction et l'humiliation :** La halle du bourg, épicentre des foires et marchés, fut démolie. À sa place, une pyramide de pierre fut érigée, gravée du jugement. Ce monument, visible de tous, rappelait aux habitants leur défaite et leur infériorité face à l'autorité royale.

– **Les sanctions économiques :** Les amendes infligées aux habitants, qui s'élevaient à près de 36 000 livres, représentèrent une somme astronomique. Ces sanctions financières, combinées à la suppression des foires et marchés pendant trois ans, étouffèrent l'économie locale, laissant le bourg exsangue.

Face à ces mesures, une partie de la population choisit l'exil. Les habitants, marqués par la peur des représailles et les séquelles du jugement, se dispersèrent dans les villages voisins. Certains s'installèrent à Marval, Milhaguet, Saint-Saud ou Miallet, des bourgs où ils espéraient trouver une nouvelle chance.

Un notable marchand d'Abjat, Champarnaud, devint drapier à Piégut, y établissant un commerce prospère. Ce village, situé non loin, profita de l'effondrement d'Abjat pour s'imposer comme un nouveau pôle économique. Les registres historiques révèlent que les marchés de Piégut commencèrent à croître significativement dès 1642, signe d'un transfert brutal d'activité.

D'autres récits, transmis par la tradition orale, parlent d'une jeune femme ayant fui jusqu'en Espagne à cheval, où elle aurait fondé une lignée noble. Si ces récits relèvent de la légende, ils témoignent de la richesse des histoires personnelles nées de ce bouleversement.

En 1644, les lettres d'abolition vinrent apaiser les blessures ouvertes par le jugement. Bien que ces documents aient permis le retour de certains fugitifs et la reprise des foires et marchés, le bourg ne retrouva jamais son éclat d'antan. La halle fut reconstruite, probablement à l'emplacement du foyer rural actuel, mais l'activité commerciale resta éclipsée par celle de Piégut, dont le marché hebdomadaire devint un rendez-vous incontournable de la région.

La population, réduite par les exécutions, les bannissements et l'exil, peina à se renouveler. Le stigmate du jugement de 1641 pesait encore lourdement sur les habitants. La réputation d'Abjat, ternie par les accusations de rébellion, décourageait les échanges commerciaux et les alliances avec d'autres communautés.

Parmi les pertes les plus symboliques d'Abjat, celle des cloches de l'église Saint-Jean continua de hanter les mémoires. Plusieurs récits tentèrent de retracer leur destin :

1. La cloche de Thiviers : L'une des cloches fut transportée au clocher de l'église de Thiviers, où elle aurait été intégrée au patrimoine de cette communauté. Sa disparition définitive reste un mystère.

2. La cloche de Milhac : Une autre cloche, après avoir été vendue en 1735, fut installée dans le clocher de l'église de Milhac de Nontron. Des inscriptions gravées sur son pourtour témoignent de son voyage, et elle demeure aujourd'hui un vestige tangible de cette époque troublée.

3. Les légendes : Certaines histoires parlent d'une cloche jetée dans le lit du Bandiat, enterrée sous une pierre massive. Selon une ancienne complainte locale, la cloche attendrait son heure pour sonner à nouveau, rappelant les âmes perdues d'Abjat.

Avec la perte de ses cloches, de sa juridiction, et de son rôle économique, Abjat entra dans une période de déclin. Les foires et marchés, bien que rétablis, ne purent jamais rivaliser avec ceux de Piégut, qui devint rapidement un centre commercial prospère. La juridiction, provisoirement transférée à Piégut après le jugement, y resta en partie jusqu'à la Révolution française, consolidant ainsi l'ascension de ce bourg voisin.

En 1772, la charge de juge sénéchal de Piégut était occupée par Jean Joseph de Mazerat, un avocat au Parlement de Bordeaux. Ce déplacement du pouvoir judiciaire symbolisait l'éclipse définitive d'Abjat sur la scène régionale.

Malgré sa chute, Abjat conserva une identité forte, alimentée par les récits et les légendes transmises de génération en génération. La complainte évoquant Vaucocour et les cloches enfouies dans le Bandiat continue de résonner dans les mémoires locales, tout comme les récits des âmes perdues qui hanteraient les lieux marqués par le jugement.

Même la gastronomie s'est emparée de cette mémoire : un pâtissier de Thiviers, inspiré par les événements, créa un gâteau appelé « Vaucocour », un dessert riche à base de noix, symbole de la résilience du Périgord.

Le jugement de Nérac ne fut pas seulement une punition pour Abjat ; il fut un acte de transformation régionale. Piégut, autrefois dans l'ombre, en sortit renforcé, tandis qu'Abjat, brisé par les sanctions, ne retrouva jamais son éclat. Pourtant, l'histoire d'Abjat est celle d'une communauté qui, malgré tout, a préservé sa mémoire et son âme.

Aujourd'hui, les ruines, les récits et les légendes font d'Abjat un symbole de résistance face aux bouleversements. Et si ses cloches ne sonnent plus, leur écho résonne toujours dans les vallées du Limousin et du Périgord, rappelant les luttes et les sacrifices d'un bourg qui osa défier la puissance royale.

Le 17e siècle, marqué par l'expansion de l'absolutisme monarchique, fut une époque où les tensions sociales et économiques se cristallisèrent en de violentes révoltes. Abjat, bourg prospère aux confins du Limousin et du Périgord, fut le théâtre d'un drame à la fois local et emblématique des bouleversements qui secouaient le royaume de France. Au centre de cette tragédie se trouvait François de Vaucocour, seigneur loyal au roi, mais perçu par beaucoup comme un oppresseur.

Ce chapitre explore la vie et la mort de François de Vaucocour, les circonstances du jugement de Nérac, et la révolte d'Abjat, en les replaçant dans le cadre des grandes tensions politiques, économiques et sociales de l'époque.

François de Vaucocour, issu d'une lignée noble, était le fils de Bernard de Vaucocour et de Marguerite de Moneys. Gouverneur de Thiviers dès 1624, il était décrit comme un « haut et puissant seigneur », fidèle à la monarchie. Il hérita de la seigneurie après la mort de son frère aîné, Jean de Vaucocour, chevalier de l'ordre de SaintMaurice et gentilhomme de la princesse de Piémont.

Marié à Marguerite de Savorny, François eut cinq enfants, mais sa descendance masculine ne donna pas de postérité. Ainsi, la branche aînée des Vaucocour s'éteignit avec son dernier fils, Jacques-Charles, devenu prêtre et prieur de Saint-Nicolas de Bar-sur-Aube. François, cependant, ne survécut pas pour voir cet héritage se diluer : il mourut violemment lors de la bataille de Charelle, événement déclencheur de l'un des épisodes les plus sombres de l'histoire d'Abjat.

La mort de François de Vaucocour, attribuée aux habitants d'Abjat, fut le prétexte d'une répression sans précédent. Accusés de meurtre, de rébellion et de sédition, les Abjacois furent poursuivis avec une rigueur implacable par les autorités royales. Mais les circonstances exactes de cet assassinat demeurent entourées de mystère. Les récits populaires évoquent une tentative d'enlèvement d'une jeune fille, orchestrée par François, qui aurait provoqué la colère des habitants. D'autres suggèrent une vengeance personnelle, peut-être dirigée contre le père de Claire, une figure respectée du village.

Quelle qu'en soit la cause, l'acte fut rapidement assimilé à un défi direct à l'autorité royale, exacerbant la volonté de la couronne d'étouffer toute rébellion.

La révolte d'Abjat ne fut pas un événement isolé. Elle s'inscrivait dans une période de troubles généralisés, où les tensions économiques et politiques alimentaient des insurrections dans tout le royaume.

À partir des années 1630, le poids des prélèvements fiscaux augmenta considérablement. Les guerres menées par la monarchie, notamment contre l'Espagne et les Provinces-Unies, épuisèrent le Trésor royal, et le fardeau retomba sur les paysans. Ces derniers, déjà appauvris par des années de mauvaises récoltes, les ravages de la peste, et les pillages des troupes, furent écrasés par les nouvelles taxes et la brutalité des collecteurs d'impôts.

Un témoignage adressé au chancelier Séguier en 1633 résume l'ampleur de la misère :

« Les peuples des campagnes, affligés par les guerres, la peste et les subsides, n'ont plus de quoi vivre. »

Entre 1636 et 1640, des révoltes paysannes éclatèrent dans de nombreuses régions :

— 1637 : Les Croquants du Périgord se soulevèrent, dénonçant les abus des nobles et des collecteurs d'impôts.

— 1639 : Les Va-nu-pieds de Normandie prirent les armes, réclamant la suppression de la gabelle.

Ces mouvements, bien qu'éparpillés et mal organisés, marquèrent un rejet croissant des institutions locales et de l'absolutisme monarchique.

Les révoltes paysannes de cette époque traduisent une dépossession multiple des communautés rurales, telle que décrite par l'historienne madame Higounet-Nadal. **1. Dépossession politique :**

L'absolutisme monarchique centralisait le pouvoir, détruisant l'indépendance des communautés rurales. Les seigneurs locaux, relais du pouvoir royal, incarnaient cette oppression.

2. Dépossession économique :

L'accaparement des terres par une bourgeoisie urbaine affaiblissait les petits propriétaires, aggravant les inégalités.

3. Dépossession culturelle :

Les paysans, attachés à leur langue et à leurs traditions occitanes, voyaient leur identité s'effacer face à la francisation imposée par l'administration royale. La langue, principal vecteur de leur culture, était marginalisée.

Ces frustrations cumulées nourrirent les soulèvements, même si les révoltés continuaient souvent à exprimer leur fidélité au roi, incarné comme une figure divine et lointaine.

Le jugement de Nérac, rendu en mai 1641, marqua un tournant pour Abjat. François de Vaucocour, présenté comme une victime de la barbarie des Abjacois, devint le prétexte d'une répression systématique.

— Les exécutions publiques, les peines aux galères et les amendes ruinèrent le village.

— Les cloches d'Abjat furent confisquées, symbolisant la perte de la voix et de l'identité du village.

— La halle, centre névralgique du commerce local, fut détruite et remplacée par une pyramide gravée du jugement, un monument de honte imposé par la couronne.

Une partie des habitants, par crainte de représailles, quittèrent Abjat pour s'installer dans les villages voisins. Le bourg perdit sa population, ses foires, et sa juridiction, plongeant dans une spirale de déclin économique et social.

La figure de François de Vaucocour demeure ambiguë. Loyal au roi, gouverneur de Thiviers, il symbolisait l'autorité monarchique, mais il incarnait aussi, pour les paysans, l'oppression locale. Si sa mort fut exploitée comme un acte de rébellion, les récits populaires suggèrent des motivations plus personnelles, mêlant vengeance et légendes.

La mort de François de Vaucocour et le jugement de Nérac reflètent les tensions d'une époque où le pouvoir central écrasait les identités locales. Abjat, autrefois prospère, ne se releva jamais de cette tragédie. Pourtant, son histoire, entre légendes et mémoire collective, reste un témoignage vivant de la résistance des communautés rurales face à l'injustice.

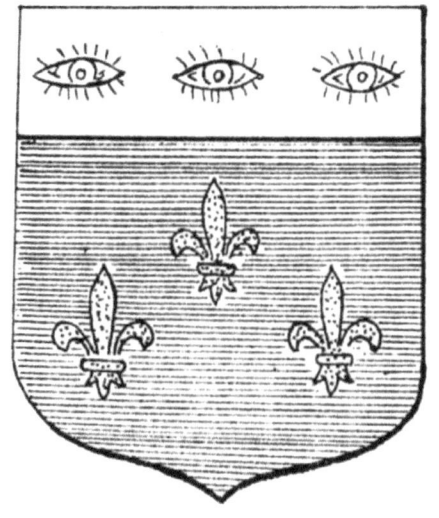

Les armes des Vaucocour sont d'azur à trois fleurs d lys d'or, au chef d'argent chargé de trois yeux au naturel veillant de face

Blason des de Vaucocourt (Périgord) : d'azur, à trois fleurs-de-lis d'or, au chef cousu de gueules, chargé de trois yeux d'argent, de profil. (D'après "l'Armorial des principales Maisons et Famil. les du Royaume" de P.P. Dubuisson - 1757).

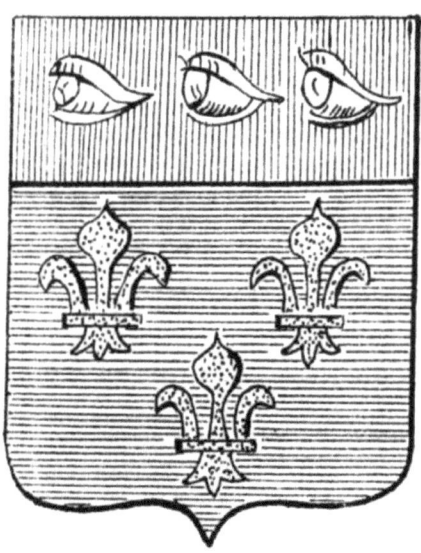

Blason d'Abjat.

*Composition et mise en page réalisées
avec l'aide de WriteControl*

© 2026 Catherine Inco
Édition : BoD · Books on Demand, 31 avenue Saint-Rémy, 57600 Forbach, bod@bod.fr
Impression : Libri Plureos GmbH, Friedensallee 273, 22763 Hambourg (Allemagne)
ISBN : 978-2-3225-8280-8
Dépôt légal : Avril 2026